となり町戦争

三崎亜記

目次

となり町戦争

第1章　となり町との戦争がはじまる

となり町との戦争がはじまる。

僕がそれを知ったのは、毎月一日と十五日に発行され、一日遅れでアパートの郵便受けに入れられている〔広報まいさか〕でだった。町民税の納期や下水道フェアのお知らせに挟まれるように、それは小さく載っていた。

【となり町との戦争のお知らせ】

開戦日　九月一日
終戦日　三月三十一日（予定）
開催地　町内各所
内　容　拠点防衛　夜間攻撃
　　　　敵地偵察　白兵戦

お問合せ　総務課となり町戦争係

とりあえず最初に僕が心配したのは、通勤というきわめて私的なことだった。もともとこの町に縁もゆかりもあるわけではない。職場から車で四十分以内の通勤距離で駐車場付き、という条件で探し当てたアパートがたまたまこの町にあったという、それだけの縁《えにし》。住み始めてもう二年になるが、この町のことはほとんど知らないし、知り合いと呼べるような人もいない。

「戦争となると、やっぱりとなり町との道路は封鎖されるんだろうな」

となり町は、この舞坂町《まいさかちょう》と職場のある地方都市の中間にあり、通勤路になるので気になったが、戦争がどんな形で行われるのか、どんな形で僕の日常の中に入り込んでくるのかは皆目わからなかった。開け放したままの部屋の窓からは、虫の音《ね》が遠く近く響き、いつもと同じ配列の家々の灯りが見えた。野球中継のテレビ音がきれぎれに漂い、時折遠く犬の鳴き声が聞こえる、何も変わらない夏の夜だった。そこには、そう、喩《たと》えるならば台風の前夜に感じるようなさし迫った緊迫感など、微塵《みじん》も感じることはできなかった。

僕は迫り来る戦争に対して、何ら心の準備も、現実的な面での準備もできないままに、開戦の、九月一日を迎えた。

◇

九月一日、僕は通常より三十分早くアパートを出た。戦争がどんな展開をみせるのか見当がつかなかったが、となり町とを結ぶ道路がもし通れなかったとしたら、大きく迂回して山を越えたルートで職場に行かなければならないからだ。残暑、というよりまだまだ暑い夏を予感させる朝日を正面に受けながら、僕は国道へと車を走らせた。

国道は、確かに昨日までより多少混雑していた。ただしそれは、夏休みが明けた九月一日には例年のことだったので、特に戦争が始まったことによる混雑であるとは感じられなかった。通り過ぎて行く車にも、戦争の雰囲気を身につけた表情は垣間見られない。僕は戦争の情報が何か聞けるかと思い、ラジオをつけた。いつものように、朝の時間帯にしては多少軽めのDJが、少し古い音楽を紹介し、合間に天気予報や交通情報や今日の運勢が報じられた。おかげで、今日が洗濯日和《びより》であることや、高速道路で横転事故があったことや、今日の僕の運勢が「雷に打たれたような衝撃的な出会いをする」ってことは知ることができたが、肝心の戦争の情報については、何も得ることができなかった。

ラジオは、時報に続いて五分間の地元ニュースの時間になった。若い女性アナウンサーが、いくつかのニュースに続いて、昨夜《ゆうべ》起こった、この地方都市ではめったにない通り魔殺人事件の情報を、抑揚のない声で告げた。

「……の公園脇の歩道で、昨夜十一時半頃、帰宅途中の会社員の男性が何者かに襲われて死亡するという事件が発生しました。被害者は、鋭利な刃物で心臓を刺されており、捜査本部では、犯人の行方を追うとともに、目撃情報の提供をよびかけています」

　やがて、となり町との境が近づいた。僕は何が起こるかと、多少の不安と好奇心でハンドルを握りなおした。小さく見えた、いつも見慣れた青い標示板が次第に近づき、となり町の町名を示す文字が読み取れ、僕はその標示を、スピードを落とす必要もなく、何事もなく通りすぎた。

　となり町に入っても、特に変わった雰囲気は感じられなかった。町はいつもどおり朝の倦怠《けんたい》を漂わせて僕を迎え、道行く人々がたいして愉快そうでもなく、それぞれの職場への道行きを自分の人生に擬するかのように、黙々と歩く姿も何ら変わりはなかった。九月の強い朝日が、すべてを平板化するかのように平等に町を照らしていた。

　職場に着いても、同僚や上司の口に上る話題といえば、どうやら直撃を免《まぬが》れそうな大型台風の今後の進路予想や、先ほどラジオで聞いた通り魔殺人事件の事ばかりで、だれも、すぐ隣の二つの町が今日から戦争を始めたことなど知らぬげであった。そんな様子を見ていると、町どうしの戦争など大した問題ではないように思えてきて、僕の方からその話題をふることもはばかられた。

そうして、何事もないまま、僕はそれからの日々を表面上は何の変わりもなく過ごした。最初のうちこそ、となり町を通るたびに、戦争の兆候をかぎ分けるべく、あたりをうかがってみたが、何らそれらしい様子もなかったので、次第に今が戦時中であることすら忘れがちになっていった。

◇

そんなある日。残業を終えて夜十時近くにアパートに帰ると、郵便受けの中に、クレジットカード会社からのお知らせや、引越し業者の宣伝チラシに混じって、〔広報まいさか〕を見つけた。それを見て、そういえば、とその日はじめて、今が戦時中であることを思い出した。それほどに、僕の日常は戦争前と何ら変わらずに動いていたのだ。

僕は自分の部屋に入ると、台所で手早く夕食を作りながら、〔広報まいさか〕をぱらぱらとめくってみた。だが、そこには戦争に関する記事は何も載っていなかった。特集コーナーは新しく出来る予定の町民センターについてだったし、前号で【となり町との戦争のお知らせ】が出ていたコーナーにも、図書館のボランティア養成講座への受講生の募集だったり、税の相談会のお知らせだったりで、戦争に関する記事は見当たらなかった。

「結局、まだ始まってないのかもしれないな」

テーブルの上に〔広報まいさか〕を放り投げると、焼いた肉と野菜を盛り付けながら、この「何も起こらない戦争」について思いをめぐらせた。もしかすると、戦争は二つの町の話し合いや交渉で、戦闘状態に至らないで終結したのかもしれない。あるいはこの「戦争」は、僕の考えているような、人々が銃を手に殺し合いをするような形の戦争ではなく、もっと抽象的な、概念的な意味での戦争なのかもしれない。

「抽象的、概念的な戦争っていうのは、どんな戦争なんだ」

一人暮らしの身には、その問いに応えてくれる相手もなく、僕は勝手に、二つの町が抽象的に、概念的に戦う様を思い描いた。そこではどんな銃が手にされ、どんな血が流されるのだろうか。どう考えても僕の想像の範囲外にあったので、頭を振って考えを押しやると、テーブルに食器を並べ、食事の準備を整えた。

テレビを見るという習慣がないので、行儀の悪いことではあるが雑誌なり小説なりを用意して、ぱらぱらとめくりながら食事を進めることを常としていた。今日はあいにく何も読むべきものを用意しておらず、かといってせっかく下ろした腰を上げて本棚から本を持ってくるのもおっくうだったので、そのまま食べ始めた。

食べながらも、長年の習慣で、僕の視線は何らかの文字を必要としていた。テーブルの上にある文字といえば、醤油の小瓶に記してある製造元の表示と、〔広報まいさか〕の表紙ぐらいだったので、僕は醤油の製造地とその原材料を確認した後に、〔広報まいさか〕へと視線を移した。表紙の大部分は、九月はじめにこの町の城跡で行われた鈴虫祭のカラー写真で占められており、読むべき文字はあまりなかった。「広報まいさか」の大きな組文字。「水清き里に育てあう文化」という町のスローガン。「発行・舞坂町広報係」。そして【町勢概況】。

何気なく見ていた僕の視線は、ある部分にくぎ付けになった。

【町勢概況】（9月10日現在）
町の人口　15、773人
男性　7、548人
女性　8、225人
世帯数　4、589戸
【人の動き】（8月25日〜9月10日）

転出　40人
転入　39人
出生　13人
死亡　23人
（うち戦死者12人）

「戦死者十二人？」

思わず声が出た。右手に持った箸《はし》を空中に留めたまま、その小さな文字を見続けた。もちろん記述は戦死者が十二人という情報以上のものでも、以下のものでもなかったので、いくら穴のあくほどその文字を見つめても進展はなかった。

戦争は、「確実に始まっている」のだ。この戦争は、抽象的でもなく、概念的でもなく、まぎれもないこの日常の延長としての現実なのだ。二つの町の戦争状態は、この町に十二人の戦死者を現実として生み出しているのだ。僕の眼に見えない形で、戦争は確実に町を覆《おお》っているのだ。

何もわからなかった。この町ととなり町の間に、どんな確執があるのか。何を求めて二つの町は戦っているのか。死者を出してまで得るべきものがあるのか。いったいどこで戦闘は行われているのか。何もわからないまま、その数字を見続けるしかすべはなかった。

九月も終わりを迎え、ようやく暑さも和《やわ》らぎ、朝なんかは少々肌寒い思いをしながらも、あいかわらず何事もなくとなり町を通り過ぎて僕は職場に通う。戦死者十二人の文字は頭を離れなかったが、かといってそれが僕の日常に、影を濃くして迫ってくるようなことはなかった。

第2章　偵察業務

変わりのない日々に、ようやくというべきなのか、「戦争」というものが小さく、小さく影を落とした。思ってもいなかった形で。劇的でもなく、極めて平穏に、その知らせは僕の日常の扉を小さく叩いた。

あるいは、戦争というのは、まるでこの時期の大気がすこしずつ冷気を増しながら、来《き》るべき冬を我々に無意識のままに植え付けていくように、意識させぬうちに人の心に入りこんでくるものなのか。

その日、いつものように帰宅した僕は、郵便受けを開け、そこに商業的な利益を目的とした案内にしては地味すぎる封書を見つけた。中央にきっちりとした楷書で僕の名前が書かれ、その下には「舞坂町役場総務課となり町戦争係」の文字。僕は、何が入っているのか見当もつかないままに、封を開けた。

「戦時特別偵察業務従事者？」

この通知は何を意味するものなのだろう。いったい僕に何をさせようというのだろう。十月一日といえば三日後。ずいぶん急なことだ。役所の文書ならではの、余分な表現がないために無言の強制力を感じさせる一枚の紙切れを手に考える。この「戦時特別偵察業務従事者」というものになってみれば、戦争のことが見えてくるんじゃな

23と戦第75号
総務課となり町戦争係

北 原 修 路　様

舞坂町長
矢加部　岩恒

舞坂町長之印

戦時特別偵察業務従事者の任命について

標記の件について、下記のとおり辞令交付式を行いますので、ご出席いただきますようお願いいたします。

記

1. 日　時　　成和23年10月1日
　　　　　　午前10時より
2. 場　所　　舞坂町役場　4階会議室
3. お問合せ　舞坂町総務課となり町戦争係
4. その他　　当日は印鑑をお持ちください

以上

お問合せ先
舞坂町総務課となり町戦争係
TEL　30－1211

いだろうか。好奇心に似たものが、強制力を上回って僕の中に残った。

迷いながらも、役場へ行く決心をおぼろげに固めていた九月三十日、その電話は職場にかかってきた。

倉庫の中にいた僕は、壁面に取り付けられた内線電話の呼び出し音で受話器を取った。

「なんだかかしこまった声の女性から」

事務の「本田さん」はそれだけを簡潔に告げて、外線電話をつないだ。そんなとりつぎかたはないだろうと思いながら、相手の見極めができないままに声を発した。

「はい、お電話代わりましたが」

「お仕事中に申しわけございません。私、舞坂町役場総務課となり町戦争係の香西《こうさい》と申します」

女性の声。たしかに「かしこまった声」だった。抑揚を抑え、事務的に用件を伝えようとする簡潔さを備え、それでも落ちついた潤いを言葉の端々ににじませていた。

「辞令交付式についての案内状を送らせていただきましたが、明日の辞令交付式は、お時間大丈夫かと思い、確認のお電話をさし上げました」

「案内状は届きました。それで、よくわからないんですが、偵察業務って、いったい何なんですか」

「詳しい内容につきましては、辞令交付の後に説明させていただく予定です」

「それは、その辞令交付というのは、拒否することはできるんでしょうか？」

僕は、半ばは辞令交付式に出向く意志が固まってはいたものの、こちらの意向をまったく尋ねないまま出席を前提に話を進める相手に、多少の反抗の意を添えてそう申し立ててみた。

「失礼ですが、今回の偵察業務への従事を拒否されるご意志がございますか？」

女性は、落ち着きを持った声音《こわね》のまま問いかけてきた。

「いえ……、まだはっきりした意志として拒否することを考えているわけではないんですが、私にはまだ今回の戦争のことがよくわかっていないし、なにより、今回の辞令を受けることが、もし戦争に対して積極的に荷担するようなことになるのだったら、躊躇《ちゅうちょ》する気持ちが大きいのは事実ですが」

香西さんというその女性は、僕の質問を予期していたのか、一拍ののち、ある意味「苦情慣れ」した表現でこたえてくれた。

「……そうですね、もちろんあなたはこの辞令に対して拒否権限がありますので、正式に受任を拒否される場合には、六十日以内に町長に対して不服申し立てをしていただくことになります。もしそれをなさらない場合には、通常の手続きに準じてこちらから出頭願書《ねがいしょ》の発行、その後、強制出頭の手続きを取らせていただくことになりますが」

僕は、受話器を耳につけたまましばらく考えていた。受話器の向こうの香西さんという女性は、何らの意思も表出せず無言のまま僕の返事を待っていた。

沈黙の中で考える。何にしろ、僕にはこの戦争によって得るものもなければ、もちろん失うものもないのだ。だとしたら、この戦争の行方を知ることができるのならば、「偵察」という、あまり積極的ではない形で戦争を観察してみるのもいいのかもしれない。

「わかりました、任命を受けたいと思います」

「ありがとうございます。それでは、明日十時に役場までご来庁いただきますようお願いいたします」

最後まで抑揚のない声のまま、女性は静かに電話を切った。何だか不思議な存在感を示す声が僕の中に反響し、受話器を置いた後もしばらく消えることがなかった。少なくとも、と僕は考える。明日、この女性がどんな女性かがわかるという楽しみがひとつできた。

僕は仕事を再開する前に、事務所に戻り、キャビネットから休暇届を取り出した。今は忙しい時期というわけではなかったが、それでも前日になって休暇を願い出るのは多少言いづらかった。

休暇届に明日の日付を書くと、そのまま主任に持っていった。主任の机は、いわゆる僕たちの机の「島」から幾分離れており、主任はいつものように、まるで地図を俯《ふ》瞰《かん》するかのような恰好《かっこう》で、机の上にひろげた朝刊に没頭していた。

この主任はおかしな、というか伝説的な人物で、もともとは創業者の親戚筋の人間であるので、本来ならこの歳で地方支社の主任クラスにおさまっている人物ではないのだが、「停滞」の理由は彼がこの会社を離れていた十年ほどにあった。

主任は大学卒業後、現場の苦労も知らなければ、という当時の社長の方針により、下請け会社の工場で働いていた。そこでの数年の修業期間を終えれば、本社に戻ってそれからの人生の「道すじ」は確定するはずであった。しかし、彼はその工場で働いていた外国人労働者の女性と周囲の反対をものともせず結婚、ほどなくして、今度は反対する暇も与えずその女性の国へ、生まれたばかりの赤ん坊とともに移住してしまった。伝え聞くところによると、女性の実家の農業を手伝いながらの、貧しいながらも心豊かで幸せな生活……。ということで、紆余曲折はあったものの、日本における彼のうわさはハッピーエンドとなるはずであった。

しかし数年後、もともと政情不安であった彼の国で内戦が勃発した。それが治まったかと思えば、今度は内戦に干渉していた隣国との利権争いから本格的な二国間戦争が勃発。彼自身も鍬《くわ》を銃に持ち替えて戦いに参加したという。そして戦争が終わり、彼の国は勝利したものの、数年にわたる戦いの末かろうじて生き残り、帰りついた時には、奥さんも子どももすでに戦争によって帰らぬ人になっていたそうだ。

これはすべて、先輩社員たちから間接的に聞いた話であり、その話ですら歴代の社員たちの想像と憶測に包まれたものであった。この地方支社に伝播《でんぱ》するまでには相当の脚色が加えられているはずであるから、真偽のほどは定かではない。主任自身も過去を話すことは一切なく、また社員たちがあえて尋ねることもなかった。

そんな経緯《か》もあって、いわゆる「傷心の帰国」後、親族の手によって会社に戻された彼は、本社の資料室での勤務を経て、本人の希望で各地の支社を転々としている。そして現在、この地方支社の主任という微妙な立場にいる。主任がこの支社に転属になったのは十年前。僕が入社する前のことだ。主任は当時から主任であり、今もって主任である。もともと主任という位置付けも、彼をこの支社に置いておくために、取って付けたように置かれた役職なのである。

だから僕たちは仕事上の決裁を仰ぐのは課長であるが、事務雑務上の決裁は主任に、という多少複雑な二重構造を強いられている。つまりは、対外上の損失等が発生しない、日程的な制約があまりない仕事にだけ、彼の判断を仰いだ。

主任自身が、自分の置かれた立場や仕事に対して、どう思っているのかは定かではない。主任はいつも、社員達から少し離れた窓際の机で、事務員の「本田さん」からお茶をもらっては、くりくりとした瞳を新聞の上に落として日がな一日すごしていた。

そんな主任の「存在」に対して、社員達の間に疑問の声が上がっているかといえばそうではない。それはやはり、「戦争」という特殊な条件下ではあるが、自らの手で人を殺した、しかもたくさんの人を殺した人間しか持つことができないであろう「何か」をもっている「特殊な人間」への取扱いであるという理解が、暗黙のうちに為されているからであろう。

主任自身は、威圧的な雰囲気を持つわけでも、こわもてというわけでもない。小柄で、丸顔の中にくりくりとした大きな瞳を持つ童顔で、いつも着ている他の支社の名前が入ったすすけたような作業着に、白髪まじりのまだらな短髪というその風貌《ふうぼう》は、知らない人が見ればどこにでもいる「人のいいおっちゃん」であった。事実、そのやわらかすぎると言ってもいい物腰に接していると、僕たち支社の社員でさえ、主任の

「特殊性」など忘れがちであった。

だがそれは、主任の持つ「もう一つの伝説」によって妨げられることになる。こちらは想像も憶測も含まれ得ない、この支社の社員自身が経験したことだ。僕がこの支社に配属になる一年前に起こったことで、その頃は主任も社員たちとともに酒を飲みに行くこともあったらしい。その時社員たちが飛び込みで入った店というのが、いわゆる暴力団が経営筋の、「ぼったくり」の店であった。はじめは法外な値段に抵抗した社員たちであったが、その筋の男たちに囲まれて、男の面目を保てるギリギリの線に踏みとどまって愚痴を言いながらも、財布を出していた。

ところが主任だけは、相も変わらぬやわらかな物腰のままではあったが、要求された額をきっぱりと断ったのだ。はじめはすごんだり脅したりしていた男たちも、主任の気負いのない平然とした態度に業を煮やし、殴る蹴るの暴行を加えだした。最終的には、額を割られた主任は、頭から血を流しながら、「いやあ、こういうのもひさびさですなあ」と言って、女の子たちが逃げ出してしまったので、自分で水割りを作ってますます落ち着いて飲みだした。ここに至って、男たちも、何か尋常ならざるものを感じてその姿を不気味そうに遠巻きに眺めていた。そこに、社員の一人が連絡した警察が到着。主任は「結局一銭も払わずにすみましたねえ、はい」と言ってうれしそうに帰っていったという。

そしてこの話は、のちに、その組員たちが次々と何者かに襲われて重傷を負う……、という結末を得て、新たな「伝説」となったのだ。ちなみに、主任が戦争中に所属していた部隊は、軍事力の劣勢にもかかわらず、徹底した夜間の奇襲攻撃で敵を恐怖のどん底に叩き落としたことで有名である。

◇

「すみません、大変言いにくいのですが」

僕は休暇届を主任に渡しながら切り出した。

「ああ、町役場からさっき通知が来とったですよ。はい。ええっと、半年間の町政モニターやったですね」

そう言いながら主任は机の上のわずかばかりの、自分に任された書類の中から、僕あての通知を抜き出した。

「この書類によると、半年間は突発的な休みをとるようなことがあるようですが、まあ、気にせんでいいですよ。あなたの休んだ分の賃金は、役場の方から補償されますから」

主任は、僕の休暇届に丸っこい指で印鑑を押して返した。それだけの行為を終えると、背筋をぴしりと伸ばしたまま、朝から没頭していたらしい新聞の切り抜きの一つを手に取って、あらためてその記事を読み直しだした。

事務所には通例、この時間、主任と女性事務員の「本田さん」がいるだけだったが、今日は「本田さん」がおつかいにでていたので、主任と僕しかいなかった。

「主任は、この事件に興味があるんですか？」

僕は、切り抜かれた記事が、すべて同じ事件であることに気付いて尋ねた。その記事は、先日起こった通り魔殺人事件のものだった。

「あぁ、これですねえ、はい、興味ありますよお」

主任は机の上に並べた切り抜きを俯瞰した。

「まぁ、ここいらで殺人事件って久々ですからねぇ」

僕は事件のことを思い起こしながらそう言った。ちょうど戦争開始の前日に起こったこの事件は、日が経つにつれ、計画性とそれに相反する無目的性が際立ってきていた。

中心街からやや外れた位置にある公園脇の歩道で起こった殺人事件は、新聞報道によると被害者は四十代の男性会社員。仕事からの帰宅途中に被害にあっていた。死因は心臓への刃物の一突き。争った形跡がなく、また財布などを物色した形跡もないことから、警察では通り魔殺人として目撃情報を集めているとのことだった。

「恨みやモノ盗りでの殺人はわかりますけど、これは人を殺すこと自体を目的にしてますからねえ。これには、はい、興味ありますねえ。普通殺せませんよお、ええ、フツウの感覚ではねえ、はい」

主任は、すっかり冷えきった湯のみのお茶をすすった。

「人を、目的なく殺すって、どんな感覚だったらできるんでしょうね」

僕は、主任の後ろから切り抜き記事を覗き込みながら、何気ないふりを装ってつぶやく。主任は切り抜きを見ていた顔を上げて、僕を見つめた。主任へのこの種の質問は、当然この職場ではタブーとされていた。

主任の表情は、いつものとおり穏やかで、その瞳には笑みさえ表されているようだった。

「わかりませんかあ」

「それは……、わかりませんね」

「簡単なんですよお、考え方を変えるだけでねえ、簡単なんですよお、ホントにねえ」

主任は眼を細めた。

「考え方、を、変える、ですか？」

僕は、その細められた眼から発せられるものをはかりかねて尋ねる。

「そう。殺すってことはですねえ、相手から奪うことではなくてですねえ、相手に与えることだって、そう考えることですよお、はい」

主任はそう言って、その細めた眼を新聞の切り抜きへと戻した。

◇

十月一日。僕は約束どおり十時少し前に町役場にたどりついた。この町の町役場を訪れたのははじめてだった。というのも、僕のアパートの近くには中央公民館を中心とした町の複合文化施設があり、その中の町民センターで、僕が町と関わりあうような用件はすべて処理できたからだ。役場の建物は四階建て、さいころをそのまま巨大化させたような立方体状を成している。風雨にくすんだ外壁はひび割れの補修の跡も生々しく、古い公共建造物ならではの陰気で威圧的な雰囲気を漂わせていた。

役場に入り、正面玄関で庁舎内の案内板を見たが、「となり町戦争係」の表示はなかった。おそらく最近できたばかりの係なのだろうから、案内板の変更がなされていないのだろう。僕は受付に近寄ると、恭《うやうや》しく一礼をして眼だけで笑っている受付嬢に話しかけた。

「あの、となり町戦……」

「四階総務統計係の横になります」

　案内嬢は、にこやかに応対しつつも、僕が最後まで言い終わらぬうちにきっぱりと案内をすると、またもとのにこやかな表情に戻った。エレベーターもあったが、僕は階段をゆっくりと四階まで上った。硬い床面に、靴音がカシカシと響いた。

　となり町戦争係は、いかにも急ごしらえといった体裁だった。統計係の横に間借りしているような六畳ほどの空間に、仕切り代わりのキャビネットに三方を囲まれて三つの机が寄り集まるかのように置かれていた。

　こちらを向いた奥の机には、まだらに薄まった頭髪をなでつけた、四十がらみの見るからに陰気そうな男が座っており、右手指を舐《ねぶ》り上げながら書類を一枚ずつめくっていた。その前には向かい合って二つの机、一つは積み上げられた書類で埋まり、もう一つの机の前には、女性が座っていた。後ろ髪を無造作に束ねた、鼠色のスーツを着たその女性は、左手で資料の細かい数字を追いながら、右手で電卓をすばやく打ち込んでいた。

　僕がカウンターに立つと、女性は正確に五秒の間をおいて顔を上げた。その動きのままにカウンターに立つ僕を確認し、音もなく椅子を立った。きっと、どんな客がカウンターに立とうとも、寸分違《たが》わぬ同じ動作をするんだろう、そう思わせる動きだった。

「辞令交付を受けにきたのですが」

「はい、それでは少々お待ちいただけますか」

女性は、化粧らしい化粧をしていないながらもしっとりと白い肌をまとっていた。カウンターに立ち、僕を見る。そう、それは見つめているのではない、ただただ僕は彼女に見られていた。値踏みするでもない、拒絶も受容もない、極めて平板な視線で。急ぎ足でもなく、かといって無駄な動きもない、抑制の中に構築された優雅な足取り。彼女は、そんな足取りで机とキャビネットに挟まれた狭い空間をまわりこんだ。

「係長、よろしいですか」

奥の机に座った男に彼女は話しかけた。しかしそれ以後の声は聞こえなかった。彼女も係長と呼ばれる男も、カウンターの僕のところまでは届かない、そんな声の大きさを熟知しているらしい。僕は係長と呼ばれる男のうんざりしたような表情と、彼女のテンポをはずしたような頷きに、異国の無声映画でも観ているような気分にさせられた。

やがて男は再び書類に眼を落とし、彼女はまたさっきとまったく同じスピードで僕の前に戻ってきた。

「それでは十時から、課長より辞令が交付されますので、隣の会議室で待機してください」

そう言うと、彼女はカウンターに左手をついて身を乗り出し、右手で「会議室」と書かれた案内板を指し示した。僕はその時はじめて彼女の名札の「香西」という文字を確認した。

会議室に入ると、そこは会議室とは名ばかりの机も椅子もなにもない部屋で、正面に一つだけ施された窓から、向かいの小学校の校舎が見えた。ささくれだったような日にやけた臙脂《えんじ》色の絨毯《じゅうたん》が、ぶよぶよとした床の感触を靴ごしに伝えた。

所在の定めようもなく立っていると、「わーっ」という子ども達の声がわきあがった。窓の外をみると、役場と小学校の建物に挟まれて校庭があった。どれほどの広さなのか、僕の立つ位置からは判断できなかったが、ここからは見えない部分であがったその声は、徐々にこちらに近づいてくる気配だった。

体育の授業なのか、子ども達は窓で狭められた僕の視界を、「わーっ」という声をあげながら、右から左へと一瞬に駆け抜けていった。白い体操服姿が陽の光に映えて、僕の眼に刺さった。

突き刺さったのは、それればかりではなかった。走り抜けた子ども達の手に携えられていたものは、僕ですら昔の映像でしか見たことのない、先に刀剣をつけた銃のようだったのだ。

「運動会の練習、なのか？」

逆光に眼を細め、事態を判断しかねて窓際に近づこうとした。しかしそれも果たさぬうちに、先ほどの係長と呼ばれる男と香西さんという女性が、僕が入った入口とは違うドアから現れた。

係長は、窓に向かって右側に位置を占めた。前を見、左右を見て、最後に足元を見ると、微調整するかのように立ち位置をわずかに修正した。係長が位置を定めると、続いて香西さんがその横で、やはり前を見、左右を見て、最後に足元を見て微調整するかのように立ち位置をわずかに修正した。大仰に捧げ持ったお盆には、僕の辞令らしきものが載せられていた。

係長と同じく、何の基準によってかはわからないが立ち位置を定めた香西さんは、両手がふさがっているため、あごを引く動作と目線、そしてわずかな口の動きによって、僕の立つべき位置を指し示した。それに従い僕は香西さんの隣に位置を占めると、二人にならって前と左右を見、最後に足元を見て、位置を定めた。

窓に向かって、係長、香西さん、僕という順番で並んだまま、しばらく「待ち」の時間が流れた。僕たち三人は、手持ち無沙汰なエレベーター内の乗客が所在なげに一様に階数表示を眺めるように、窓の外の風景に救いを求めた。

僕からは、子ども達の姿は見えなかったが、係長と香西さんからは見えているようだった。僕には見えない校庭から、拡声器で割れた、教師らしい男の号令のような怒鳴り声が響いた。

内容は判別できなかったが、子ども達はその号令に応じた動作をしているらしく、係長と香西さんは子ども達の動きに見入っていた。

「だいぶうまく……」

係長は、つぶやくように子ども達を評した。

「そうですね」

香西さんは、窓の外を見やりながら簡潔に応じた。

「最初は装着もうまくできてなかったが」

「副読本と、日曜学級の効果、でしょうか？」

「ああ、技術的にはねえ。ただ生活科の中で戦闘を模擬体験したことでの心理的な効果の方が、大きいんじゃないかね」

僕の立ち位置から係長の表情は窺《うかが》い知れなかったが、値踏みするような響きがあった。

「あの話も、係長が以前学務にいらっしゃったからできた話で」

香西さんは、そう言って係長を見やった。係長が喉の奥をつかえさせるようにくっくっと笑うのが聞こえた。

「町長は全世代挙兵が公約だったから、なんとか調整もできたが、むしろ問題は三十代、四十代の無関心層をどう取り込むかで」

「そうですね」

やはり香西さんは簡潔に応じた。そこで会話が終わり、また僕たち三人は、無言のまま何かの変化を待って窓の外を見つめ続けた。

一刻の後、でっぷりと肥えた身体を紺ダブルのスーツで包んだ男が入ってきた。男は窓を背に立った。僕は香西さんに眼で促されてその正面に立った。肥えた男はもったいぶった仕草で辞令を僕に差し出し、僕は恭しくそれを受け取った。

◇

辞令交付が終わると、係長は、パーテーションで仕切られた小部屋に僕を連れて行き、小さなテーブルを覆い尽くすように書類をどさりと置いた。

「え〜、ご承知のとおり、戦局は日々変化し、現在はわが町の方も有利に戦況をすすめては、え、おりますが、まだまだ予断を許さない状況にあります」

係長は書類に目を落としたまま、時折僕をちらりちらりと見上げた。口調も先ほど香西さんと話していた際の皮肉癖は影をひそめ、卑屈なへりくだりようが感じられた。僕という人間が自分の言葉や態度にどう反応するのかを見極め、それに応じて自分の

任 命 書

（氏名）
北 原 修 路

戦時特別偵察業務従事者に任命する

成和　23年　10月　1日

舞坂町

町　　長　　矢加部　岩恒

舞坂町長之印

言葉や態度も変えようとする、長く役場に勤めている人間ならではの用心深さ、というもののようであった。

「情報戦争という言葉がありますが、これは、え、こと戦争においても、え、当てはまるものと、私どもでは考えておるわけです。行政レベルでの情報と、町民の皆様から寄せられた貴重な情報とを、ドッキングさせることで、より効率的かつ効果的な情報収集を行っていくことが、今の町行政には求められておりまして、その意味で町民の皆様にも、え、一定ご理解をいただき、え、ご協力をいただくという形をとらせていただきたいと、そう考えまして、今回、町民の皆さんの知り得る情報をご提供いただき、それをもとに、町としての行政のあるべき姿を決めていくという、こうした用務を導入し、町政運営の活性化をはかりたいと、そういった意味で、重要な役割を、今回、担《にな》っていただきたいと、え、そういう形になっております」

くどくどと同じことを、表現を変えて何度もなぞるようなしゃべり方をしながら、僕に書類の束を渡す。

「え〜、この〔偵察員記録表〕は二枚複写式になっておりますので、この用紙に毎日、あなたの出勤時、退勤時にとなり町を通過した際の偵察情報を記録して、え、いただくことになります。ですから大事なことは」

係長は言葉を切ると、同じく役場の封筒に同封されていた黒い下敷きを取り出した。

第３号様式（１／２）

23と戦第68号

担当者	主　査	課　長

偵察員記録表

成和　　年　　月　　日（　）

記録員　　　　　　　　　印

往路（　　　　→　　　　）		復路（　　　　→　　　　）	
:		:	
:		:	
:		:	
:		:	
:		:	
:		:	
:		:	
:		:	
:		:	
:		:	
:		:	
:		:	
:		:	
:		:	

＊特記事項

＊記入上の注意
・必ずボールペンにて記入すること
・訂正の際には二重線にて抹消し、その上に押印すること

～この用紙は再生紙を使用しています～

「必ずこの下敷きを一日分の記録表の下に挟んで記録するということです。そうしないと、さらに下の紙にまで複写されてしまいますので」

「はぁ」

「この係直通の封筒をとりあえず五十部貸与しますので、出勤時と退勤時の記録を複写状態のまま、必ず三つ折りで入れていただいて、翌朝ポストに投函していただくと、え、そういう形を取りたいと思います」

「郵送でいいんですか？　役場に私が直接届けるとか、宅配便業者に頼んだ方が早いと思いますが」

係長は愚直そうな顔をゆがませ、意味もなく笑った。どうやら僕を「与《くみ》し易《やす》し」ととらえたのか、言葉は流暢《りゅうちょう》になり、態度も次第にぞんざいになってきた。

「郵便が、一番安全かつ確実なのです。となり町も、郵便には手をだすことはありません。なにしろ」

そこで一度言葉を切ると、僕の方にぐいと顔を押し出すように近づけ、またすぐに遠ざけた。まだらな頭髪がゆらいだ。

「なにしろ、この町と、となり町は、同じ集配区域になってますから、となり町も、郵便局とのトラブルは、え、避けたがるんですなあ」

ここで係長は唇の横からふうぃと空気をはきだした。

「次に、あなたの業務にかかわる賃金ですが」

係長は自分の机でやっていたように指を舐り上げると、書類をせわしなくめくり、やがて細かい数字の並んだ一枚の書類をさがしあてた。

「この俸給表を見ていただきましょう。あなたの年齢および現在の職業より勘案いたしまして、第3号の4という位置付けですからこの値、それにプラスした形で戦時特殊勤務手当、これが一日五百五十円。それからこれが問題で、総務課長とも協議を重ねたのですが」

「何でしょう」

「旅費についてです。なにぶんこういったケースははじめてですので。結論から申し上げますと、この役場からとなり町に至り、国道を西に進んでとなり町の西の外れに至るまでの往復十二・六キロを、あなたの偵察業務に関わる経路と認定いたしました。よろしいでしょうか」

「はあ……」

なんと返答してよいかわからず、あいまいな返事を繰り返した。係長はそんな僕と視線を合わせないようにじろりと一瞥《いちべつ》し、書類に眼を戻した。

それからも、係長の話はくどくどと続いた。偵察業務中は車のアイドリングストップを心がけること。偵察業務が渋滞などで一時間以上になった場合は、必ず十五分間の休憩を取ること。ガソリンは指定のガソリンスタンドでレギュラーを二十リッター単位で注油し、必ず領収証を〔記録表〕の裏面に糊付けし、四隅に割り印をすること。偵察業務中の同乗者は禁じているが、町内在住者はその限りではないこと。自家用車以外の交通機関を使った場合の特例。飲酒運転で捕まったら、準公務員扱いとして新聞にも公表されてしまうことなどなど。

途中から話を聞いていなかった。係長は、僕に渡した注意事項を書き連ねた書類を読んでいるだけだったからだ。係長は前かがみになって書類を見ていたので、眼の前には彼の頭がぐいっとせり出していた。染めているらしく不自然に黒い髪をポマードで丹念になでつけていた。なんというか、整ってはいるが清潔感はない、まとまってはいるがきれいではない、という特殊な髪型であった。そしてその下には紺色の背広。スーツではないあくまでも背広。おそらく購入してから十年以上経っているであろうその背広は、背広自身がその目的と自己認識を見失っているのではと思えるほど、係長をみすぼらしく見せていた。

係長は、時折念を押すように、腰をかがめて書類をめくる姿勢のまま僕を見上げる。僕はその時だけ、自分の書類に眼を落とし、係長の言葉にうなずいた。

「それでは、明日から偵察業務を始めていただくことになりますので、よろしくお願いしたいと思います。業務に関する指示などは香西の方から逐次電話などでさせていただきます」

話し終えると同時に十二時のチャイムが鳴って、係長は席を立った。見事なものだ。

僕が〔記録表〕と、封筒の入った紙袋を手に「となり町戦争係」の前を通ると、先ほどの女性が机についたまま、一息ついたというように小さな伸びをしていたが、僕を見るとあわてて居住まいを正して目礼した。やっと、その香西さんという女性の人間味に少し触れたような気がして、笑いながら目礼をかえし、役場をあとにした。

◇

こうして僕は、翌日から「偵察業務」を開始した。

といっても僕の日常がそれほど変わったというわけでもない。いつもどおりの時間に出勤し、その日の仕事に応じて残業をこなし、同じルートを帰る。ただ、となり町を通過する際にほんの少しキョロキョロするようになっただけだ。

偵察業務とはいっても、僕が通勤でとなり町の国道を通り抜ける間に発見できる事実、しかもそれが戦争に結びつく事実などというのは皆無だった。だからといって、例えばとなり町の役場前を、情報を求めてうろうろするとかそんな行動には、「もし不慮の事故が起こったとしても労災認定はされません」と係長からくどくどしく言われていたので、いつもどおりに国道を真っ直ぐ通り抜けてアパートに帰る車から、となり町を眺めるしかなかった。

あるいは僕にだけ変化が感じられないのかもしれないが、相変わらずとなり町に戦争の匂いは感じられず、かといって〔記録表〕になにも書かないわけにもいかないので、となり町の車とすれ違ったら、それがごみ収集車だろうが、選挙のお知らせの広報車だろうがその時刻を記入し、役場近くの新築工事で重機が使われているのを見つければ、特記事項の欄に重大な発見であるかのように書き記した。

こんなことが、役立つとはとても思えなかった。だから、戦争に荷担しているという罪悪感のようなものも芽生えなかった。そんな風に名前ばかりの偵察業務を遂行して十日ほどたったある夜、電話がかかってきた。

「夜分失礼いたします。となり町戦争係の香西です」

「ああ、こんばんは」

こんな時間に役場から電話がかかってくるとは思っていなかったので、多少たじろぎながら返事をした。

「夜分遅く失礼いたします。今よろしいですか？」

「えっ、ええ。いいですよ」

受話器の向こうから、綴じられた紙をめくる乾いた音がした。その音すらも折り目正しかった。

「まず一点目です。〔偵察員記録表〕の記入についてですが、訂正があった場合は二重の線で抹消し、その上に押印をとお伝えしていましたが、すでに提出していただいた十月七日付の記録表の特記事項の欄で、電柱工事についての記述の訂正がありますが、そこで、二枚目の複写部分に押印がありませんでしたので」

「あっ、そうか。すみません」

「あなたの記述如何《いかん》によって、議会の非常任委員会の判断も変わってまいりますので、よろしくお願いいたします。それから二点目です。これは報告ですが、あなたの偵察業務によって、町の被損害率が三・六パーセントほど下降しました。担当部長会議でもこの点について喜びの声があがっていました」

「あぁ、そうなんですか。でもそんな細かい数字がどうやって出たんですか」

「もともと、あなたの行っている業務は、国からの〔住民情報活用の指針〕に基づいて導入されたものですが、その活用マニュアルの中に、費用対効果測定のための計算式が掲載されていました。その中に抽出した具体的なサンプル数字を入れて計算したものです」

受話器の向こうから他の電話の呼び出し音が聞こえ、係長らしい声が陰気に「となり町戦争係です」と答える声が聞こえた。

「香西さん、まだ仕事をしているんですか？」

「はい、県からの指導がありまして、戦時特別会計については、歳出内訳の提出はいままでは事後申請でよかったものが、来月より一部が事前申請になりましたので、その変更業務に追われています。やはり、長期計画の中に戦争を組み込む自治体が増えてきた中で、予算獲得も今までのように簡単にはいかないのが実情です」

「他にも、戦争をやっている自治体があるんですか」

僕は何も知らなかった。

「そうですね、やはり五年前に平牧《ひらまき》市が近隣三市町を相手どって始めた戦争で、町村合併を勝ち得た事がメルクマールとなった部分が大きいようですが、今現在、停戦状態をふくめて十三箇所で戦争が行われています。今からの導入を考えている自治体も多いようで、この係にも週に一回は〔戦争に関する調査書〕が届きます」

「なんだか、ぼくがイメージする戦争とは、まったく違う形と、違う手順で戦争が行われているんですね」

「私たちには条例どおりの手順を踏んで業務を遂行するしか術《すべ》はないんですよ」

「ただぼくには、この町がやっている戦争ってものがまったく見えてこないし、いったい何のために戦っているのかも見当がつかないんですよ」

「おっしゃることはよくわかります。過去の戦争が、私たちの記憶の彼方へと消え去って久しい時間がたちました。役場の中にも実際に戦争を体験した、という人間はもはやおりません。ですから私たちそれぞれが、自分の持っていた戦争のイメージと、現実に自分たちで遂行する戦争のギャップに苦しみながらも、現実の戦争の各場面に応じた対応を積み重ね、協議を重ねつつ対処しているのが現状です」

　そう言う香西さんの言葉の中に、僕は苦しみを感じられなかった。香西さんは、諭《さと》すように僕に語りかけた。

「戦争というものを、あなたの持つイメージだけで限定してしまうのは非常に危険なことです。戦争というものは、様々な形で私たちの生活の中に入り込んできます。あなたは確実に今、戦争に手を貸し、戦争に参加しているのです。どうぞその自覚をなくされないようにお願いいたします」

　電話を切った後も、香西さんの言葉は僕の中に渦巻くように残った。

　窓を開けた。十月の夜空には、結構な数の星が出ていて、戦争が行われているのも知らぬげに、瞬《またた》きを繰り返していた。僕は耳をすませる。彼女の言うとおり、僕は僕のイメージの中の「戦争」を特別視していて、現実の戦争が見えていないだけなのかもしれない。もし今、遠くで銃声でも聞こえたなら、かすかな硝煙の匂いをかぐことができたなら、僕はそれで納得して、今現在、自分が「戦争の只中」にあるということを、ある意味「覚悟」することができるのかもしれない。だが夜の町はどこまでも静まっていて、何の解答も与えてくれようとはしなかった。

◇

十月十六日。仕事を終えてアパートに着くと、取るものもとりあえずポストを開けた。いつものように〔広報まいさか〕が入っていた。僕は、アパートの廊下の切れかかって点滅状態の蛍光灯の下で、ある一点に目をこらした。もちろん見た個所は【町勢概況】だ。

【町勢概況】（10月10日現在）
町の人口　15、598人
男性　7、560人
女性　8、038人
世帯数　4、613戸
【人の動き】（9月25日～10月10日）
転出　15人

転入	23人
出生	16人
死亡	67人（うち戦死者53人）

そこにはかつてない規模の戦死者数が記されていた。どうやら、戦争はいよいよ佳境に入ってきたらしい。僕は広報を右手の中に丸めて、階段を上りながら複雑な気持ちになった。もちろん戦争に協力しようとか、手柄をたてようとか、そんな思いはまったくないのだが、偵察業務をはじめて早々に、こんなに死者が出てしまったことに、何だか自分のせいのような後ろめたさを感じてしまったのだ。

玄関の鍵を開けるのと同時に、部屋の中で電話が鳴り出した。暗い部屋の中で鳴る電話。僕を監視するかのように鳴り出した電話。僕は電気をつけないまま受話器を取った。

「夜分失礼いたします。となり町戦争係の香西です。もうお帰りでしたか」

落ち着いた響きを持った香西さんの声は、心なしか疲労に沈んでいるようだった。

「あの、香西さん」

「はい」

「だいぶ疲れているようですけど、大丈夫なんですか」

しばらく沈黙があった。以前香西さんとの電話で経験した沈黙とは明らかに異質のものであった。今は、確かに香西さんの意思が息づいていた。そこにあるものが、僕にはおぼろげに感じられた。公的なコトバと私的なコトバのあいだでゆらいでいるのだろう。やがて香西さんはそのゆらぎの方向性を定めた。

「そうですね、……疲れていない、といったら嘘になりますね」

「仕事が忙しいんですか」

「なにしろ予算枠が決まっている中で戦争をしなければならないわけですから、これだけ戦死者数が増えてしまうと、戦死者補償金だけで国からの補助金をオーバーしてしまいます。急遽《きゅうきょ》、一般会計から戦時特別会計への繰入金を財政担当と協議し、議会への臨時予算案提出用の書類を現在作成中です」

「戦死者が五十三人と広報に出ていましたが、その、死んでいった人たちは、いったいどんな死に方をしているんですか」

「戦争で死ぬといっても、その状況は様々です。自らのぞんで死んでいった者、決死の覚悟を持って死んでいった者、巻き込まれて死んでいった者……。ただ私の方の資料にあがってくるのは、統計数字としての戦死者数と、それに応じた補償金の金額だけなのです」

前回と違って、受話器の向こう側からは、何の気配も感じられなかった。まるで香西さんは、虚無の中に取り込まれてしまったかのようだ。耳をすますと、かすかな息遣いが伝わってきた。僕は少し安心した。

「今、非常任委員会が招集されています。議題の一つとして偵察業務の強化が含まれていますので、その結果次第ではあなたにも新たな業務が任命されることもあります」

「ぼくにできることだったら」

しばらくの沈黙。

「今も、死んでいるのかな」

「えっ？」

僕の突然の問いに、香西さんは戸惑いをただよわせて聞き返す。

「今も、この町のどこかで、となり町との戦争が行われていて、誰かが血を流し、誰かが大地に倒れているのかな」

「そうです、こうしている今も、確実に」

僕は受話器を持ったまま、闇《やみ》の中の戦争に思いをはせた。無音の世界で、彼らは静かに戦い、あふれる泉のごとくに血を流し、音立てることなく倒れていく。その倒れ伏した屍《しかばね》の中に、受話器を持って立っている香西さんがいた。

現実の香西さんは、僕に偵察業務に関する二、三の注意事項を伝えた。特に何か変更があったというわけでもなく、充分に承知している内容だったので、なぜこんな夜に電話してきたのか、いぶかしみながら相槌《あいづち》をうっていた。

「ごめんなさい」

香西さんは、僕のそんな様子を敏感に感じ取ったらしい。

「え、何が？」

「いえ、いろいろとご迷惑をおかけいたします。あの……、それでは、またご連絡しますので」

結局用件もはっきりしないままに、香西さんはぎこちなく電話を切ってしまった。きっと疲れと重圧で、だれでもいいから話す相手がほしかったんだろう。それぐらいは僕にも理解してあげることはできる。だけど……、だけど香西さんを癒すことはできないだろう。戦争を感じ取れない僕には、戦争の痛みを感じることもまた、できないのだから。

そして僕の中では、再び無声映画のようなモノクロの戦争シーンが繰り返される。戦車が砂塵をまきあげ、壊れた壁に隠れて歩兵が手榴弾を投げ、それがきれいな放物線を描いてモノクロの青空を行き交う、様式美を備えた戦争だ。

「ぼくにできることだったら」

もう一度そうつぶやく。確かに僕はそう言った。自覚も覚悟もないままに。

第3章　分室での業務

十月二十三日。真夜中のチャイム。僕は暗闇の中で目を覚ました。チャイムはしばらくの間を置いて、控えめにかつ的確にもう一度鳴らされた。僕は起き上がり、電気をつける。時計は午前三時をまわったところだ。パジャマのまま玄関へと向かう。

「どなたですか」

「夜分失礼いたします。香西です」

となり町戦争係の？　こんな時間にどうしたのだろうといぶかりながらも玄関を開けた。そこには、廊下の暗い電灯に照らされた香西さんがただ一人、役場で見たのとはまた違う鼠色のスーツを着て立っていた。疲労の色の中にも、緊張感を漂わせたその瞳は、何だか綺麗だった。

「偵察業務の変更に伴う［第16号修正議案］が、予算案とともに承認されました。本会議の閉会は十月二十二日の午後十一時五十九分。まさにぎりぎりで修正議案は可決されました。それに伴って私とあなたの新しい辞令交付の手続きが済んだのが午前二時、書類等の整備を終えて、ようやくここに来ることができました。辞令交付は四時三十分を予定しています。十五分ほど余裕がありますので、用意をお願いします。下の車でお待ちしておりますので」

そう言うと香西さんは一礼をして階段を下りていった。僕はあっけにとられて動けなかったが、一拍の後に事態を理解してあわてて歯を磨き身支度をした。香西さんと同じような鼠色の背広を選び、きっかり十五分で部屋を出た。

香西さんは、アパートの前で、町役場のライトバンに乗って待っていた。ライトバンには町名がかかれ、その下には磁石で着脱式の「戦時特任車」のプレートが付けられていた。

「急ぎますから、つかまっていてくださいね」

その言葉のとおり、香西さんは急発進すると、ほとんどブレーキを踏まないまま交差点に突っ込み、後輪を激しくスピンさせながら右折した。

「香西さん、こんなにスピード出して大丈夫なんですか」

「事前に警察から許可をとっていますので」

国道の直線に入ると、速度は百キロを超えた。

「もう少し早くお伝えすることができればよかったのですが」

「ねえ香西さん。いったいこの町にとって今回の戦争はどんな意味を持っているんだろうか？　九月に戦争がはじまって、広報の数字を見るだけでもう百人近い戦死者が出ている。そこまでして、なぜとなり町と戦争をしなければならないんだろうか？」

次々に流れていく点滅信号に照らされて、香西さんは前を向いたまま答えた。

「自治体行政の運営においても、一般の会社とおなじようにマネジメント感覚が求められだしていることは、あなたもご存知かと思います。もはや自治体は税金を徴収してその上に安穏《あんのん》としていられる時代ではないし、実際問題、地方自治体の財政状況が非常に厳しい中で後ろ向きにならずに、いままでの事業の転換、そして新事業の開拓を推し進める姿勢が必要です。そうした様々な事業が相互に関連しあっていく中で、総合的な視点で事業運営をしていかなければなりません。例えば、区画整理事業は、住みなれた家を追われ、しかも敷地面積も減少するという負担を住民に強いるわけですが、それによって将来にわたっての街の住みやすさ、地価の上昇が確保されるわけです。今回の戦争事業も、確かに短視的にみれば百人の犠牲は大きいかもしれません。しかし私たち行政を担う者は、常に五年先、十年先の町のありようを視野に入れて動いていかねばならないのです」

夜の町が流れるかのごとくに横を通りすぎていく。

「言い忘れていましたが、組織の変更もあわせて行われました。業務の拡大に伴って、総務課内のとなり町戦争係から、となり町戦争推進室へと組織変更。人事面では、あらたに室長を迎え、係長は室長補佐に昇格。また事務吏員も私のほかにもう一名補充されました」

昼間に普通に運転したら十五分はかかる道のりを、香西さんは五分で町役場へと到着し、玄関前に煙を立てるようにして車を横付けした。役場の建物は、闇の中で、更に陰気に暗く静まっていた。香西さんは通用口から中に入ると、カツカツと低いヒールを響かせながら、四階までの階段を身軽に上った。僕の前で、黒いストッキングに包まれた、引き締まった足首が秩序だって動かされた。

「辞令交付は四時三十分。前回の辞令は総務課長からでしたが、今回は組織変更で単独の部署になりましたので、町長からの交付となります」

僕の視線に気がついたのか、チラリと振り返って言った。

香西さんに導かれて入った町長室は、さすがに上等な絨毯が敷きこんであり、前回会った係長と、もう一人、背丈は僕の肩ぐらいの、小柄で豊かな肉付きの女性が、柔和な表情ながらも鋭い視線で黙って僕に頷いた。

係長改め室長補佐とその女性が、時折町政に関する話を小声でする他には物音もないまま、しばらく時間が無為に過ぎた。香西さんは、身体の前で、右手で左手首を押さえるように持ち、じっと絨毯の上を見つめていた。

やがて扉が開き、無表情を絵に描いたような黒いスーツの中年の男に先導されて、総白髪の人のよさそうな好々爺《こうこうや》然とした人物が入ってきた。この町に住んでいながら顔も知らなかったが、どうやら彼が町長らしい。僕は町長の皺《しわ》にうずもれたかのような眼を見つめた。この人物が、戦争を主導しているとはとても思えなかった。

僕たちは、町長からそれぞれ、小柄な女性は「室長」の、係長は「室長補佐」の、香西さんは「推進室兼分室勤務」、僕は「戦時拠点偵察業務従事者」の辞令をもらった。

町長はそれぞれに激励らしい声をかけたが、僕にはその言葉を聞き取ることはできなかった。

「さて、では私は今から非常任委員長と町長と、今後の方針を協議します。香西、あなたは彼に偵察業務の変更を指示した後、夜明け前に移動を開始しなさい。補佐、ついておいで」

辞令交付が終わると室長は、ころころとした体型からは想像できないほどの機敏さで、てきぱきと指示を出し、僕には一瞥《いちべつ》もくれずに部屋を出て行った。部屋には僕と香西さんが残された。

「すみません、室長はああいう方ですので。本来なら業務形態の変更は室長補佐から説明すべき事由なのですが、なにぶん非常時ですのでお許しください」

「いえ、そんなのはかまわないんですが」

実際、前回のようにあの男からくどくどした説明をうけるより、香西さんの、たとえ事務的であろうが落ち着いたトーンの声をきいていたほうが、まだ寝不足の頭には

任命書

（職名）
戦時特別偵察業務従事者

（氏名）
北原修路

戦時拠点偵察業務従事者に任命換えする
となり町戦争推進室分室勤務を命じる

成和　23年　10月　23日

舞坂町
町　長　矢加部　岩恒

舞坂町長之印

救いがある。

◇

「となり町戦争推進室」は、引越し途中で雑然としていた。高さの違う四つの机が寄せ集められた周囲には、段ボール箱や、資料の束が散乱していた。香西さんは、てんでな方向を向いて放置されているソファーの向きを正し、一つに僕を座らせると、自分も座った。深く沈みこむソファーに座って、僕の眼の前に香西さんのストッキングに包まれた膝小僧、そして細い足首がきちんと揃えられてあらわれた。

「偵察業務の強化および効率的な補助金運用を主軸に提出した修正予算案による、一般会計からの一時繰入れが承認されました。もちろん事前の根まわしがあった事にもよりますが、議会は戦争への積極投資には前向きな姿勢を持っていますので」

「戦争を終わらせようという方向への議論はなかったわけですか？」

僕は、戦死者五十三人という【町勢概況】を見てからずっと抱いていた疑問をぶつけてみた。

「町が、つまり一つの行政機関が事業を遂行する上においては、事業の採算性、妥当性に関する議論は当然充分すぎるほどになされてきています。それに、事業計画案が議会によって承認されている以上は、今の時点で事業の方向性を否定することは、議会自体も求心力の低下を招くものとして嫌いますし、ひいては町民の信頼も損ないかねません」

あいかわらず僕の「素朴な疑問」は香西さんの、というより「行政の論理」といったようなものの表面で上滑りしていくようだ。そんな僕の思いを知ってか知らずか、香西さんは少しの間沈黙し、右手の人差し指で、鼻の頭をかいていたが、ややあって説明を再開した。

「具体的にあなたに関わってくるのは、偵察業務の強化の部分です。今までの定路巡回偵察から敵地内での拠点偵察へと業務内容が変わってまいります」

「拠点偵察というと、となり町の中に潜入するということですか？」

「はい、すでに町の予算で、となり町の役場にほど近い場所にアパートを押さえております。あなたは具体的には、本日よりそのアパートを、推進室分室として使用し、業務を開始してもらうことになります。また分室には私も勤務する形になります」

「香西さんといっしょに、ですか」

「はい、便宜的に私と結婚していただくことになります。なおこれについて」

「結婚？」

思わず説明をさえぎるような声が出た。偵察業務の強化という業務変更と、僕と香西さんが結婚するということにどんな関連があるというのだろうか。

香西さんは、顔を上げて、続けていいですか？　と確認するような表情をあらわしたのち、また書類に視線を落とした。

「結婚です。分室を設置するにあたって戦争事業の先進地を調査したところ、敵地への拠点潜入にはこの形が一般化しているようです。もちろん法的に完全に有効な結婚ですが、〔となり町戦争推進に関する条例施行規則〕の別表15の中で、戦時において提出された法的書類の抹消権限が一覧化されています。その細目の6に婚姻届も記載されております。履歴として残るようなことはありませんのでご了承ください」

香西さんの表情は、極めて自然だった。僕はその落ち着いた表情を見たまま異を唱えることもできないで、後に続く僕の給料や身分に関する説明を聞き流した。

「となり町へは公用車で行くわけにはいきませんので、私の車を使います」

その言葉で我にかえると、香西さんは広げた書類をまとめ、席を立って僕を促した。

役場の外に出ると、すでにして東の空は明らんでいた。僕は香西さんの後ろを歩き、役場から少し離れた職員駐車場にとめられた香西さんの赤い車に乗り込んだ。香西さんはシートに座ると、ふうっとため息ともつかない息をついた。

「香西さん、ずっと寝てないんでしょう。ぼくが運転しましょうか」

「ありがとうございます。でもあなたはまだ試験任用期間ですから、もし何らかの事故が起こった場合、その後の処理が面倒になりますので」

駐車場からゆっくりと車を出した香西さんは、さっきとは裏腹に早朝のすいた道にもかかわらず、制限速度をきちんと守って運転をした。

となり町の役場の前で左折した車は、役場の裏の住宅街に入り込み、建って二、三年といった風情《ふぜい》のアパートの前で止まった。香西さんは僕を誘い、二階へと上ると、一室の鍵を開けた。中はもちろん何もなく、キッチンと三つの部屋を玄関から見通すことができた。

「とりあえず今日からはここで生活してもらうことになります。期間は未定ですので、三ヶ月の任用期間を適時延長していくという形になります。今日は私が職場までお送りしますので、通常どおりの勤務をなさってください。今夜帰ってこられるまでに、あなたの荷物と車はすべてこちらに移しておきます」

荷物も何もない暗い部屋の中で、香西さんの声が響く。

◇

結局その日は香西さんの言うままに職場まで送ってもらったが、寝不足もあり、昨日までの生活からの変化もあって、なんだか仕事も手につかず落ち着かない時間を過ごした。いつもどおりの残業もはかどらなかったので、僕は七時前に職場を出て、バスに乗った。バスに乗るのも久しぶりのような気がする。窓にもたれたまま、明るいネオンや街路灯が車窓を流れていくにまかせた。そのまま今までの自分のアパートに戻りそうになり、となり町の役場前で気付いてあわててバスを降りた。

「食事は、どうしようか」

もちろん僕の夕食のこともあったが、それよりも思い悩んだのは、香西さんがどうするのかが見当がつかないことだった。おそらく仕事が夜遅くまであるだろうし、せっかく用意しても食事を済ませてくるかもしれない。思案のあげく、シチューをつくることにした。これなら日もちもするし、香西さんが食べないなら僕が明日も食べればいい。なんだか誰かのために夕食をつくるというのも久しぶりだったので、少しうきうきしたような気分で役場近くのスーパーで買い物をした。

部屋の中には、香西さんの言うとおり、僕の荷物、そして香西さんの荷物も運び込まれていた。三室のうち一室には僕の荷物が以前のアパートとそっくり同じ形で整えられ、もう一室には香西さんの荷物が、そして一番広い一室には香西さんと僕の持ち物が混在し、どうやらそこがリビングにあたるらしい。

当然ながら、香西さんは夜がふけても帰ってこなかった。少し待っていたが、やがて諦めて先に食事を済ませ、手持ち無沙汰をとりつくろうように部屋の掃除を始めた。まずお風呂を沸かそうと風呂から始め、キッチン、トイレと済ませると、何かぼんやりした気持ちで台所のフローリングに座り込んだ。

周囲の部屋からテレビの音やざわめきがかすかに伝わってきて、それがこの部屋の静けさをいっそう助長した。僕は、今まさに「敵地」にいて、「偵察業務」を行っているのだ。発覚したならば、この町の住民に殺されても文句を言えないのだ。

こんな状況は、なんだか静かに異常だ。これが戦争特有の異常さだとでもいうのだろうか。

階段に今朝から耳慣れた足音が聞こえた。香西さんだ。僕はその足音がたどり着く前に扉を開けた。

「香西さん。お帰りなさい」

香西さんは何だか複雑な表情で立っていた。落ち着いたそぶりを見せながらも、この「分室」での僕への対応の仕方をまだ決めかねているようだった。

「食事とか、まだですか。一応つくってみたんですが」

香西さんは僕を見つめた。その視線は平板、というようなありきたりな表現ではあらわせなく、何ものをも湛《たた》えないままに僕を見つめていた。そして眼じりにかすかに笑ったような表情がうかんだ。

「ありがとうございます。いただきます。食事や、掃除に関してなんですが、〈業務分担表〉を作成してきましたので、後ほど主務者と補助従事者を決めましょう」

そう言って香西さんは自分の部屋に着替えに入ったので、僕はその間に彼女の食事の用意をした。食器を並べ、シチューを温め、冷蔵庫からサラダを取り出した。

木綿の白いシャツに、膝丈の黒いキュロットスカート、黒い靴下という恰好で出てきた香西さんは、なんだか五歳くらい若返ったような幼さを漂わせながら、やっぱりとまどっていた。

「なんだか、業務とはいえ、とまどってしまいますね」

「まあ、いつまで戦争が続くのかはぼくにはわかりませんが、ゆっくり慣れていきましょうか」

どうぞと手をさしのべて食事をするように勧めると、香西さんはようやくぎこちない笑みを浮かべ、食卓についた。おずおずと、といった風にシチューに口をつける。

「あ、おいしいです」

「そう、よかった」

香西さんの食事の様子は、まるで、「忘れかけた思いをつなぎとめる」仕草を思わせて、僕の中へと入り込んできた。香西さんは時折食事の手を止めて、見つめる僕を不思議そうに見つめ返した。

「どうかしましたか」

「いや、何だかこうしていると、戦争のことも忘れてしまいそうだなって、そう考えていて」

「ホワイトシチューは平和の象徴？」

そう言うと、香西さんは下を向いて小さく笑った。

「ところで香西さん。となり町戦争推進室は香西さんも含めて人数は……えっと」

「室長と補佐、それに事務吏員が二人で合計四人ですよ。辞令交付のときは、もう一人の事務吏員は戦場に出向いていていました」

「たった四人で、なんていうのかな、例えば戦う兵士たちの募集とか、戦い方の方針決定とか、兵器の準備とか、そんなもろもろのことをすべてやっているわけ？」

僕の質問に、香西さんは、スプーンを手にしたまま、どんなふうに言ったらわかるかな？　とでも考えているようにしばらく視線をさまよわせていた。やがて答えを見つけたのか、スプーンを置き、パンを小さくちぎりながら言った。

「町の、図書館に行ったことがありますか？」

「ああ、何度か」

「たとえばあの図書館だと、二十人ほどの人間が働いているわけなんですけど、役場の正規の職員というのは総務の一人だけで、後はすべて委託会社の派遣職員なんですよ」

「へえ、そうなんだ」

「だから戦争推進室も同じなんです。特にこの戦争推進室は期間限定で設置された部署ですから、長期的な視点からは職員採用の増減とは結びつかないため、どうしても外部委託という形を取ることになります。それに私たち町の職員が、実際の戦争を動かすノウハウに長《た》けているわけでもありませんから、先ほど言われた兵士の募集、教育、武器を含めた備品や消耗品の管理、戦闘の組み立て、戦死者の補償問題などは、すべて戦争専門のコンサルティング会社にまかせてあるんですよ」

「戦争専門の、会社、かあ」

「そうです。戦争という業務をスムーズかつ効率的に行政が行っていけるよう、さまざまな分野からこの戦争事業に進出してきています。二つの町ではそれぞれこの戦争の事業運営に関する考え方はちがいますが、どちらも複数のコンサルティング会社との契約を結んでいます」

「それで、自分で手を汚さずに、戦争をすることができるってわけか」

僕は、少し皮肉まじりに言った。

「私の友人に、市役所の職員がいるんですけど、下水道の料金徴収の仕事を、そうですね、もう十年近くしているんですよ。その人がある日言ってました、もう長いこと下水道に関わる仕事をしてきてるけど、実はマンホールの中を見たことが一度もないって……。組織が大きくなると、そういう風になってしまうこともあるんでしょうね」

香西さんは、少し笑いながらちぎったパンを口に含んだ。僕の皮肉はまったく通じていないようだった。

香西さんは食事を終えて、食器を片付けると、〔業務分担表〕を手にリビングへともどってきた。

偵察業務に関することはともかく、食事の準備とか洗濯とかまで「主務者」なんて仰々しく決めなければならないのかとも思ったが、役場には役場なりの物事の決め方というものがあるのだろう。

〔業務分担表〕は三枚あり、香西さんは、二枚目までを僕と話し合いながら一つずつ決めていったが、ホチキスでとめられた三枚目をめくってしばらく眺めたのち、「後は、私の方で記入しておきます」と言って、そのまま書類ファイルにしまった。

「来週、一日でいいんですが、職場の方をお休みすることはできますか？」

僕は少し考える。

「そうですね、いきなりだからはっきりＯＫとは言えませんけど、水曜日ぐらいだったら比較的休みやすいでしょうね」

「わかりました。では水曜日に有給休暇が取れるようにあなたの会社に対して町を通じて依頼をいたしますので」

ノートパソコンのスケジュール管理画面に予定が入力される。

「では来週の水曜日の業務ですが、町役場に二人で婚姻届を提出し、その後に、この町の戦争担当組織、この町では町役場とは別組織の財団法人隣接町戦争公社が担当していますが、そこに行って戦時婚礼奨励金を受け取り、あわせて庁舎内、および公社の偵察業務を遂行します」

パタンとノートパソコンを閉じると、香西さんはその上で腕を組んで、はじめて役場で見た時のように小さく伸びをして、そっと息をついた。

◇

そんな形で、僕と香西さんの、この「分室」での「業務」が始まった。「業務分担」は決めてはいたが、香西さんは組織変更の直後でかなり変則的な勤務になっているらしく、時期的に僕が早く帰れることもあって、食事、掃除、そして洗濯も、香西さんの下着以外は僕が担当していた。

やがて約束の水曜日がやってきた。香西さんは朝食を終えると、自分の部屋に入り、

となり町戦争推進室分室業務分担表

成和23年　　月　　日現在
所属長名　室 園 絹 子　印

◎＝主務者　　○＝補助従事者

業務名	分掌業務	管理者氏名（役職名）	香西瑞希	北原修路
偵察業務について	定路巡回偵察業務	前田善朗（室長補佐）		
	敵地拠点偵察業務	前田善朗（室長補佐）		
	近隣敵地民との接触	室園絹子（室長）		
	電話連絡業務	前田善朗（室長補佐）		
	盗聴調査	室園絹子（室長）		
	査察対応	室園絹子（室長）		
	報告書の作成	室園絹子（室長）		
庶務について	時間外勤務の管理	前田善朗（室長補佐）		
	日報・月報の作成	前田善朗（室長補佐）		
	各種統計作業	前田善朗（室長補佐）		
	予算・決算の管理	前田善朗（室長補佐）		
	収支決算の作成・報告	室園絹子（室長）		
	フォルダの管理・管理表の作成	前田善朗（室長補佐）		
	パソコンの管理	前田善朗（室長補佐）		
	スケジュール管理	室園絹子（室長）		
財産管理について	財産管理	室園絹子（室長）		
	省エネルギー推進	室園絹子（室長）		
	火災予防主任者	室園絹子（室長）		
	郵便物の管理	前田善朗（室長補佐）		
	分室賃貸料	前田善朗（室長補佐）		
各種料金支払いについて	電話料金	前田善朗（室長補佐）		
	上下水道料金	室園絹子（室長）		
	ガス料金	室園絹子（室長）		
	電気料金	室園絹子（室長）		
	国営放送受信料金	室園絹子（室長）		
	新聞料金	前田善朗（室長補佐）		
	公共料金口座振替の手続き	前田善朗（室長補佐）		
食事の作成について	月曜日	前田善朗（室長補佐）		
	火曜日	前田善朗（室長補佐）		
	水曜日	前田善朗（室長補佐）		
	木曜日	前田善朗（室長補佐）		
	金曜日	前田善朗（室長補佐）		
	土曜日	前田善朗（室長補佐）		
	日曜日	前田善朗（室長補佐）		

なんだかごそごそと洋服ダンスをさぐったりしているようだった。

充分に時間をかけてあらわれた香西さんは、うっすらと化粧をし、いつも束ねている髪を下ろして、肩口で外巻きにして揺らしていた。装いは、オフホワイトのブラウスに萌黄《もえぎ》色のカーディガン、そして小さな花模様の刺繍《ししゅう》されたグレーのロングスカート。

もともと白い肌の上にほどこされた化粧と下ろした黒髪の縁どりにより、いつもの「律儀な表情」は面立ちを変じ、おぼろな月が霞にけぶるかのようなそのたたずまいに僕は魅入られてしまった。

「お化粧することもあるんですね」

「なんだか久しぶりです」

見られるのも恥ずかしいようで、香西さんは僕の視線を避けるように玄関に向かった。扉に手をかけると、僕を振り返って言った。

「それでは、今日一日は新婚の夫婦を演じることになりますので、ぎこちなくならないように、さりげなく演技してくださいね」

並んで歩きだすと、香西さんは、自然に僕と腕をくんだ。その薄いカーディガンごしに、香西さんの腕が心地よい弾力で僕を押し返した。かすかに香水が匂いたった。

「新婚夫婦に見えるでしょうか」

香西さんは、僕を見上げると、少し不安そうに、そしていたずらっぽく笑った。そんな表情を見たのははじめてだった。表通りから外れた静かな住宅街の細い通り。寄り添う影を踏みしめるように歩く靴音が重なり合う。

となり町の役場を訪れるのもはじめてだった。最近建て替えられたばかりらしく、舞坂の町役場の建物にはない明るい色使いがなされており、屋上から「隣接町との戦争による健全な町づくりを！」というスローガンが掲げられている他には、戦争をしているといった物々しさは感じられなかった。

僕たちは形式どおりに婚姻届を提出し、住所の変更も併せて申し出た。舞坂町からの転入届を見せると、職員は不審そうな顔をして、「少々お待ちください」と言って上司の判断をあおぎにいった。少し緊張したが、香西さんは「大丈夫ですよ」というように僕の手を握った。

やがて職員はカウンターに戻ってきて、もう一度僕と香西さんの顔を確認すると、それからはもう僕たちの方を見ることなく、届が受理された旨を告げた。ごみの集配カレンダーや町の案内のパンフレットを渡すと、形式どおりの説明をして僕たちを解放した。

僕と香西さんは、その足で、役場の隣にある町民福祉センターの二階に臨時に設置された〔財団法人隣接町戦争公社〕へと向かった。舞坂町と同様、急ごしらえという雰囲気は消しようもなかったが、十人ほどのスタッフが、忙《せわ》しげではあるが充実した表情で立ち働いていた。

さすがにここでは、香西さんの面は割れているようだった。応対した職員はそんなそぶりは微塵も見せなかったが、背後の職員たちは目配せをしあったり、小声で何かを伝えたりと、常ならぬ動きを見せていた。しかしながら、正規の手続きで来ている以上手出しはできないらしく、危険を感じさせる動きはなかった。

僕は、レクチャーされていたとおりに、〔戦争協力家庭証〕を交付してもらうと、役場の封筒に入った戦時婚礼奨励金を受け取った。

「何事もなく終了しましたね」

福祉センターを出て、役目を終えた安心感から伸びをすると、香西さんは僕の手を取って足早に歩き出した。その手はじっとりと汗ばんでいた。

「危ない……ところでした」

何が？　公社をふり返ろうとすると、香西さんは、僕の腕を引き抜くかのような勢いで引っ張り、それを制した。

「どうして？」

「振り向くと、塩の柱になりますよ」

もちろん冗談なのだろうが、普段は冗談なんか言わない香西さんの口から出たその言葉には、有無を言わせぬ厳しさがあった。そんな瞬間の表情を美しく思ったことは不謹慎だったろうか？

僕たちは、そのまま町の中の「偵察業務」を遂行した。といっても小さな町だから、カップルで行くような場所がそんなにあるわけではない。町の中心部には、わずかな長さではあるが、アーケードの商店街があり、平日のお昼前、ということもあって人影もまばらで、歩いているのも多くは年配の女性たちばかりだ。アーケードの上部に設置されたスピーカーからは、数年前の流行歌がインストゥルメンタルで流れており、通りの物寂しさにいっそう拍車をかけるべくけだるく続いた。香西さんは、それらのどの曲も知らなかった。

僕たちは、小さな個人商店を一軒ずつまわって、食料や当座の生活用品を買い込みながら、偵察を行った。

香西さんは、僕と腕を組んだまま、楽しげにふるまいながらも、時折真剣な顔であたりをゆっくりと見渡したり、何かを避けるように迂回したり、立ち止まったりして、何かを合図するかのように組んだ腕にぎゅっと力をこめた。そのたびに香西さんの胸のふくらみを腕に感じた。僕は、香西さんがそこに「いる」のをそんなことで感じた。

「売ってますね」

唐突に、組んだ腕をブレーキ代わりにして、香西さんが僕の動きをとどめた。僕は、さっき入ったレコードショップで香西さんが買ったCDのジャケットを見ながら歩いていたので、たたらを踏んであわてて香西さんの声が指し示した方を見た。

◇

空き店舗を活用したらしい急ごしらえなスペースで、うら寂しさをまぎらわすかのように、店の前にはいくつものぼりが密集して立っている。のぼりには、緑地に白抜きの文字で「戦争フェア」と記されていた。アーケードの中なので風はなく、のぼりはやるせなく垂れ下がっていた。香西さんに引かれるまま店の中に入ると、物寂しくならないようにと並べられたものが、かえって物寂しさを助長するという不思議な配列を見せていた。

「地産地消で勝利を得よう」と称して、地元の農産物が並べられていた。「戦争で振り返ろうわが町の歴史」と称して、全五巻の町史が並べられていた。「勝ったーシャツ」というこじつけで、地元の自称アーティスト達がデザインしたワイシャツが売られていた。

店の一番奥まった部分には、申しわけ程度の小さなレジが置かれており、四十代の女性が、手持ち無沙汰にパイプ椅子に座っていた。おそらく戦争公社に雇われたアルバイトか何かなのだろう。売上げに貢献する必要はないようで、お客は僕たちしかいないのに、さして注目するでもなく、女性はレジ袋に入れるチラシを折りたたむ作業に「意識を集中せずに没頭」しているようだった。

僕が狭い店内をぐるりと一回りし、レジの前に立つと、はじめて顔を上げ、チラシを折りたたむ手をとめて小さく目礼した。僕もあいまいに応えながら、レジの前を通り過ぎようとした。

ふと、そこに置いてあるものが気になって足を止めた。少し遅れて店内を観察していた香西さんも、僕に追いついて、同じものを見つめていた。

「闘争心育成樹？」

僕は小さくその名前を読んだ。小さな鉢植えの針葉樹の苗木だった。鉢植えは一つしかなかったが、元はもっとたくさんあったのか、白いビニールのテーブルクロスの上に、鉢植えの形の泥が丸く、五つほど残っていた。

「人気があったんで、あとそれ一つなんですよ」

不意に、レジの女性が話し掛けてきた。僕は女性のほうを向いてあいまいにうなずく。女性は、僕がそれ以上興味を持つかどうかを推し量っているようだった。

「鎮魂の森からの株分けで、ちゃんと神主さんに必勝祈願してもらったものなんですよ」

レジの女性は、重ねて説明を試みる。

「鎮魂の森って、何ですか？」

おやおや知らないの？　とでも言いたそうに眼を丸くした。

「そうねぇ、最近の人は知らないかぁ、私なんかの頃は、社会科見学の時には必ず立ち寄ってたんだけどね」

女性は、ちょっと待ってという表情を見せてレジを離れた。口調から、親しみやすげな雰囲気が漂っていた。

「え～っとね、ああ、ここここ。ほらちょっと読んでみる？」

持ってきたのは町史だった。女性は四巻のあるページを開いて僕に差し出した。ずっしりと重い町史のそのページには、白黒の粗い写真で植樹の風景が紹介されていた。

町史によると、「鎮魂の森」は隣の県の山あいにあり、約五千本の植樹がなされているという。その歴史は今から百年以上前の隣国との戦争にさかのぼる。当時、近隣四県で召集された兵はこの隣県で部隊として編成され、隣国と気候や風土の似た隣県の山中で演習を繰り返し、隣国へと送り出された。そして、僕たちの世代でも内容は知らずとも言葉だけは知っている「245高地での殲滅戦《せんめつせん》」により部隊の大半が隣国で命を落とした。こうした戦いを風化させまいという意図から、当時の演習地に記念の植樹がなされ、以来この町から新たな戦に若者たちが出征していくたび、植樹されることが慣例のようになり、郷土を守った人々を称える情操教育の一環として、社会科見学でその場所を訪れているのだという。

　僕は町史を返すと、座りこんで「闘争心育成樹」と名づけられた苗木を検分した。呼び名に似つかわしくなく小さくはかなげだった。そのアンバランスさが妙に気に入ったので購入することにした。なんだか照れくさくって、レジで財布を出しながら、笑って香西さんを振り返る。

「あ、ちょっと待って。たしかこれで……安くなるはずですよ」

　香西さんはバッグの中から、さっき交付されたばかりの〔戦争協力家庭証〕を僕に、どうぞというように差し出した。

「あっ、それがあれば二割引になるよ。しっかりものの奥さんでよかったね」

　レジの女性は、そこに書いてある僕と香西さんの名前（結婚しているので、僕の苗字も香西になっていた）を見て僕に笑いかけ、その笑顔を残したまま、香西さんに顔を向けた。香西さんは薄い笑みを浮かべて小さく目礼した。

「大きく育ててね」

　レジの女性は僕にその苗木を差し出した。女性は、人懐っこそうな表情を保ったまま、僕の手の中の苗木をいたわるように見つめた。

ひと通り町を見てまわると、僕たちは喫茶店に入って休憩した。香西さんはパフェを頼んだ。なんだか香西さんとパフェというのは異色の組み合わせだった。僕が見つめると、香西さんは恥ずかしそうに首をかしげて肩先で髪を揺らし、スプーンでパフェをすくい取って、僕に差し出した。

アパートにもどると香西さんは、また僕に対して公的な態度をとるようになり、それはまるでスイッチを切り替えたかのように鮮やかだったので、僕はそんな香西さんがますますわからなくなった。

数日後、香西さんは、二十ページにおよぶ偵察報告書を作成していた。僕はその内容をあえて見なかった。二人で腕を組んで歩いていた間に、いったい香西さんはどんな情報を得て、何を報告するのだろうか。僕に見えなかったどんな戦争の影が、香西さんには見えたというのだろうか。

僕は窓際に置いた「闘争心育成樹」の鉢植えに毎日水をやりながら、「戦争」の日々を静かに過ごした。「闘争心育成樹」を買ったのは、この小さな苗木が「闘争心育成樹」と名づけられたアンバランスさが、戦争についてさっぱりわからないまま協力している自分の姿と重なりあっていたからなんだと思った。

◇

水曜日の夜、八時頃にアパートに帰ると、部屋の灯りがついていた。僕は車の鍵を締めながらその灯りを見上げた。一人暮らしが長いので、帰ってきたら光が灯っているなんてのは不思議な気がした。

部屋に入ると、あたたかな夕食の匂いがした。エプロン姿で、うでまくりをした香西さんが、はにかんだような表情で僕を迎える。

「毎週水曜日は、役場のノー残業デーになっていますので、極力早く帰るように指導されています」

食事を終えると、二人で食器を片付け、リビングでくつろいだ。僕もそうだが、香西さんもあまりテレビを見るという習慣を持っていない様で、二人でいる時は、もっぱら僕のステレオで音楽を聴いていた。

僕の聴く音楽と、香西さんの聴く音楽は、微妙に重なり合う部分があった。僕は、自分のＣＤと、香西さんのＣＤを交互にかけた。その日僕が選んだのは、先日香西さんが商店街のレコード店で購入した、「戦争の犯罪」というアルバムだった。タイトルに惹かれてかけてみたが、なんだか、おだやかな光の下にひろがる大地を俯瞰するようなイメージの曲だった。静かな時間が流れた。香西さんも、あいかわらず静かな表情ながらもリラックスした面持ち。コーヒーカップから立ち上る湯気。平和な時間。こうしている今も、香西さんは戦争を意識しているのだろうか。

「ねぇ、香西さん」

「何でしょうか？」

香西さんの黒い瞳の焦点がふわりと僕に合わせられる。

「町にとっての、行政にとってのこの戦争の意義ってのは聞いたけど、香西さんにとってのこの戦争は、どんな意味を持ってるんだろう」

「そうですね、私は、以前は税務関係の仕事をしていたんですが、ある意味、定型の業務を複数の人間で処理していましたので、やることも決まっていて、責任も分散化されましたが、今の職場は組織も小さいし、やるべき業務も多岐《たき》にわたっていますので、その意味ではいろんなノウハウを覚えられるとも言えますし、逆にいえば負担が大きい仕事であるとも言えますね」

「仕事としてではなくって、感情面では、戦争をどう考えているのかな」

香西さんは、コーヒーカップを手にすると、答えをさがすようにカップの中の波紋に視線を落とした。

「私がどう思っても、この戦争は遂行されます。だとしたら私が考えるのは、後は技術面の問題でしかないんです」

「技術面？」

香西さんはカップをおろすと、静かな表情で僕を見つめた。

「私たち行政の仕事は、事前に組まれた予算の範囲内で、事業を成り立たせていかなければなりません。それは、戦争という予測が非常に困難な事業を行う場合も同様です。そんな中で、私が考えなければならないのは、効率的な予算の運用であり、弾力的な予算の流用であり、一般会計からの繰入れを得るための効果的な資料の作成なのです」

すこしの間僕は、どう言えば香西さんの「公的」ではない言葉での、戦争への思いを引き出すことができるのかを考えていた。音楽は、何かの予兆を感じさせるうねりを持った曲に変わっていた。

「例えば、一人の人間として、こう考えることはないのかな。二つの町が戦争状態にあるとはいえ、香西さん自身がとなり町の住民に敵意とか殺意をもっているわけではないよね？　だけど、香西さんが戦争推進室で仕事をすることが確実に誰かを殺すことにつながっているし、もしかすると香西さんの家族を殺してしまうような結果につながっているかもしれないんだよね？　そんなことを考えても、やっぱり戦争に反対する気持ちってのは生まれてこないのかな？　一人の人間として」

香西さんは、僕の思いを慮《おもんぱか》るかのように、小さくうなずきながら聞いていたが、僕が話し終わると視線を逸《そ》らして窓のほうを見た。じっと「闘争心育成樹」を見つめていた。やがて、音楽が止み、香西さんは口を開いた。

「昔、ある都市で、料金の滞納のために水道やガスを止められて、結果的に部屋の中で餓死して発見された人がいたってニュースがありました。覚えていますか？」

「ああ、そういえば、なんとなく覚えてるな」

おぼろげな記憶をたどる。確か、働き手であるご主人が亡くなって収入がなくなり、奥さんと子どもは、生活保護を受けるすべも知らぬままに、しばらくは水だけで生きながらえていたらしいが、水道やガスを止められてしまったので、結果的に餓死した状況で発見された、というものだった。

「あの当時は、マスコミでもだいぶ取り上げられ、水道やガスを管理する、その都市の公営企業が批判を受けました。止める前に、なぜ一度家の中をのぞいてみなかったんだって。そうしたら助かったのにって。そうですね。確かに、一市民の生命、という側から見れば、そんな生活をしているのに追い討ちをかけるように水道やガスを止める血も涙もない対応だ、って言うことができますね。ですが、私たち役場の人間にとっては毎回何百、何千っていう数の滞納者がいるうちの一人でしかないんですよ。あの家は今奥さんが病気で入院されているから、とか、あの家は先月ご主人がリストラされて生活が苦しいから、とか個別の事情を把握することはできないし、そんなことを考慮して対応することができると思いますか？」

「だけど……。だけど行政の仕事っていうのは、住民のために、住民一人一人のためにあるものではないのかな？」

「もちろんおっしゃるとおりです。私たちは住民のために仕事をしています。ですが、そこで言う〝住民のため〟とは、すべての住民に公平で同質のサービスを提供する、ということです。一人の住民にあやふやな基準で便宜をはかれば、それによって私たちが料金を徴収したり、住民に義務を負わせたりする行為は、なし崩しに壊れていってしまいます。たとえどんなに杓子《しやくし》定規といわれようが、きちんとした減免や猶予の規定がない限り、私たちは住民に対して公平に、均等に接していかなければならないのです」

　香西さんは小さく息をついだ。静かではあったが、言葉を差し挟ませない意志を伴っていた。

「戦争という事業においても私たち行政の姿勢は変わりません。公平な事業の遂行によっても、それぞれの住民に起こりうる結果は様々です。誰かが死に、誰かが生き残る。それが私の家族である可能性ももちろんあります。ただ、戦争という事業には、必ず死者が発生します。戦争という事業を行った結果、それに伴う死が誰に生じるかはわかりませんし、それは、私たち行政の関与するところではありません」

僕は立ち上がり、窓の外を眺める。少し離れた場所で、家の新築工事が行われており、基礎のコンクリートだけがつくられ、電柱からの光にわずかに照らされていた。

「ねえ、香西さん」

外を見たまま、話しかける。

「子どもの頃、ああやって家ができ上がっていくのを見るたびに不思議に思ってたんだ。いつここから人間がはえて来るんだろうってね。当時は引越しなんてよくわからなかったし、家ができたら自然とそこに人が生まれてくるんだって思ってたんだ」

「はい……」

そこまで話した時、部屋の電話が鳴った。僕への連絡は携帯電話にしかかからなかったし、家族や友人にも、この状況――戦争のために結婚して、引越しをした――をきちんと説明できそうもなかったので、誰にも知らせていない。それで、部屋にかかってきた電話は、いつも香西さんが取るようになっていた。

「もしもし」

僕は窓際の場所を譲る。香西さんは、耳の横に流れる髪をそっとかきあげながら受話器をとってこたえた。香西さんは、この部屋で電話を取るときは名のらない。

「ああ、どうしたの？　めずらしいね」

その声の調子で、身内からの電話であることがわかった。会話を聞かないように自分の部屋に戻ろうかとも思ったが、受話器はコードレスで、聞かれたくないのだったら自由に移動できるのに、そんなそぶりもみせなかったので、僕は手にした文庫本を再び読みながらも、自然にその会話、というより香西さんの受け答えに耳を傾けることになった。

「ん……、やっぱりこういう仕事だからね、忙しいよ今は」

そう言いながら香西さんは窓際に歩いて、カーテンを少し開けて外を見る。

「えっ？　入るって、どうしてそんな……、うん、それはそうだけど」

声が少し動揺している。窓際で身悶《みもだ》えるかのようにふりかえって受話器を持ちなおした。

「いつ？　もうそんな早く……、そんな」

香西さんの右手が何かを求めるかのようにさまよい、そして「闘争心育成樹」の葉を静かになでた。

「ねえ、どうして話して……、うん、うん、そうだよね、ごめんね」

なおも「闘争心育成樹」をいたわるようになで続ける。

「ん……、ねえ、それは、せめてもう少し先延ばしできないの？　ううん、わかってるよ。うん、うん」

「育成樹」をなでていた手は、カーテンをにぎりしめていた。いつもの香西さんのそぶりではなかった。

「うん……、うん……、わかった。それじゃあ、がんばって、っていうのもおかしいけどね。ごめん、何とも言えない。うん、それじゃあ」

しばらく香西さんは、時が止まったかのように受話器を持ったまま身じろぎしなかった。何かを耐える、そんな時間が流れているようだった。

やがてゆっくりと受話器を戻すと、何かを求めるように視線をさまよわせ、そしてカレンダーを見つめた。

「香西さん、大丈夫？」

僕は迷った末に、文庫本を投げ出して声をかけた。聞こえてはいるが、返事をする余裕がないようだった。しばらく待った。香西さんはゆっくりと息を継いだ。

「弟からでした」

「ああ、弟さん。でもなんだか普通じゃないみたいだったけど？」

「弟が、町兵として戦争に参加するって言いだしたものですから」

「弟さんが」

香西さんは曇った表情のままだった。

「舞坂町は、今度の第五次夜間襲撃計画で大規模な戦闘を想定しています。ですからせめてその後で、と思ったんですけど」

「そんな、教えてあげればよかったじゃないですか」

「言ってきくような弟ではありませんし、それにさっきも言いましたよね。家族だからって、業務上知り得た情報を教えることはできないんですよ」

　香西さんは、強い眼差しを僕に差し向けた。その瞳の強さに、何も言うことができなかった。

◇

　その夜は、眠れぬまま自分の部屋で寝返りをうち続けていた。僕の考える戦争と香西さんにとっての戦争。そこには大きな隔たりがあった。戦争とは何なのか、根本的な部分に立ち戻って考える必要があった。

　僕たちの世代というのは、戦争というものの実体験もないまま、自己の中に戦争に対する明確な主義主張を確立する必然性もないまま、教わるままに戦争＝絶対悪として、思考停止に陥りがちだ。戦争というコトバを聞くだけで、僕たちの頭の中に、普遍化されたモノクロの映像が浮かんでくる。行軍する兵士、黒煙をあげて落ちる戦闘機、忌《い》まわしのキノコ雲、そして親を失い道端に座り込んだ、やせ細った子ども。それらの映像は、僕たちに思考する間も与えず、戦争を否定させる力を持っている。

その反面、いわゆる《世間》では、「正義のために、愛する人のために」という大義名分をうけて戦うことを正当化する、という図式がまかりとおっている。子ども向けのヒーロー番組しかり、勧善懲悪型の時代劇しかり。

僕たちは「ソレトコレトハ、スベテガオナジデハナイケレド、カサナリアウモノナンダ」とわかってはいても、その違いと同質性について、深く考えなければならないほどの選択を迫られることはない。だから日常の中でそれらは融合することなく、別物として並び置かれている。そして、時折それぞれの側面が鈍く光るのだ。

今僕が出遭っている戦いは、そのどちらにもカテゴライズされない、予測もしなかった形で僕を巻き込んでいる。この複雑化した社会の中で、戦争は、絶対悪としてでもなく、美化された形でもない、まったく違う形を持ち出したのではないか。実際の戦争は、予想しえないさまざまな形で僕たちを巻き込み、取り込んでいくのではないか。その時僕たちは、はたして戦争にNOと言えるであろうか。自信がない。僕には自信がない。

もちろん僕たちは戦争を「否定」することができるし、否定しなければならないものだと感じている。ただしその「否定」は「あってはならないもの」「ありえないもの」としての消極的な否定であり、「してはならないもの」としての積極性を伴った否定にはつながりえないようだ。では、「現にここにある戦争」を、僕たちは否定することができるのであろうか？

そんなことを考えていると、小さな音がして扉が開いた。香西さんだ。香西さんが、そっと僕の部屋に入ってきた。僕は暗闇の中、ベッドの上で半身を起こした。香西さんは無言のまま、僕の膝元に腰をおろした。事の推移の判断がつかぬまま、僕は香西さんの出方を待った。香西さんは無言のまま僕の上半身に寄り添うと、そっと口づけた。香西さんが慎ましやかに匂いたつ。

香西さんは口づけたまま、僕を抱え込むように横たえると、パジャマのボタンを一つずつ外し、ゆっくりと、確実な動作で、僕を全裸にした。そして僕の裸を一瞥すると、今度は自身の衣服を一枚ずつ、するすると流れに沿うかのように脱ぎ落とした。

暗闇の中でも、その身体は、白さを内側から放つかのように浮き上がらせていた。白い輪郭《りんかく》をおぼろに漂わせながら、香西さんは僕の上に重なった。身体の冷たい部分、温かい部分それぞれが僕を刺激した。香西さんの肌は、ミルクのようなかすかな甘い匂いがした。

そうして僕たちは無言のまま交わった。僕は耳を澄ませた。まるでいつかの電話のように、そこには静かな虚無が横たわっていた。僕は眼を閉じた。閉ざされた視界の中で、なおも香西さんは白い残像となって残った。普遍化された戦争のイメージと、香西さんの白い姿が、スライドのように交互に現れた。

香西さんはそれを打ち消すように動き、小さく息をはずませた。

僕が射精をすると、香西さんは静かに動きを止め、脱ぎ落とした衣服を手にして、裸のまま自分の部屋へと戻っていった。しばらく、白い幻影は暗闇の中で漂い、そして消えた。
◇

となり町の広報に、戦死者の数は載っていなかった。その代わり、と言っては何だが、戦争の記事で満ちていた。特集コーナーは、役場に掲げられていた「隣接町との戦争による健全な町づくりを!」というスローガンとともに、財政健全化のための戦争の必要性がもっともらしいグラフや挿絵入りで記されていたが、抽象的かつスローガン的な内容でしかなかった。戦争がどういう状況になっているのかはわからないままに、この部屋に住みだして一ヶ月近い月日が過ぎようとしていた。

僕と香西さんの生活も基本のパターンを大きく逸脱することなく、うまく同調させることができるようになってきていた。偵察業務に関しては、実際は香西さんがほとんどその記述の責を負っていたので、僕は担当者欄に印鑑を押すだけのような恰好となっていた。

月曜と火、木、金曜は僕が夕食を作り、香西さんは土曜、日曜と、ノー残業デーの水曜日には早く帰ってきて夕食を作った。そして二人で、リビングで静かな時間を過ごした。

月曜日の夜、僕と香西さんは恒例となった一週間の業務分担の割りふりを行っていた。もっとも、敵地調査の業務は香西さんがほとんどやっていたし、食事や洗濯などの家事全般は僕がやっていたので、それはある意味形式的なものとなっていた。

それでも香西さんは、〔業務分担表〕を律儀に一つずつチェックしながら、僕のすべきこと、香西さんがすべきことを確認していった。

「今度の、水曜の夜の食事なんですが」

ボールペンを持った手を止め、香西さんが言いよどむ。

「あ、何か用事があるなら、食事の用意はぼくがしますから」

僕がちょっと〝気をきかせて〟そう言うと、香西さんは少しあわてたように、

「あ、用事、というか、仕事なんですよ」

「水曜日の夜にですか？　めずらしいですね」

「仕事、といっても少し特殊なんですけど」

「特殊、って？　どんな仕事ですか？」

僕は、「今の仕事もずいぶん特殊なんだけどなあ」と内心思いながら、想像をめぐらせる。

「地元説明会なんです」

「ジモト説明会？」

「戦場となる地区では、事前に戦闘の実施時間や予定地区、戦時負担金の納入や建物等に損害が出た場合の補償などについて、住民の皆さんを集めての説明会を開催しています。今回国からの補正予算によって、あと二箇所戦闘区域を拡大することが可能となりましたので、急遽説明会を開催することとなりました」

僕は少し興味を持ってたずねた。

「香西さん、ぼくもその説明会ってやつに出席してもいいかな？」

香西さんは、ん？ という表情で、ボールペンのお尻をそっと唇に触れさせて僕を見る。

「それは、かまいませんけれど、その地域に限定したお話になりますから、決しておもしろい内容ではないと思いますが？」

「それはかまわないよ。説明会ってものがどんなものか、ちょっと興味があるだけだから」

黒い瞳がじっと僕を見つめた。でもそれは、「興味」の質を推し量るためではなく、ただ単に会話の相手として見ているにすぎなかった。

「ねえ香西さん、この戦争で戦ってるのはどんな人なの？」

「舞坂の場合は役場としてやっていますから、町民の志願兵や徴集兵、アルバイトなどです。となり町は公社がやっていますから、一定要件を満たせば他の地域の住人も戦闘に参加することが可能です」

「一定の要件って？」

「国内での戦闘経験がないことと、居住地での市町村税の滞納がないこと。後は所得制限くらいですか」

「戦闘経験がないことってのはなぜなんだろう。むしろ戦闘経験がある人材がほしいんじゃないの？」

「総務省からの通達でそうなっています。意図するところは、戦争から戦争へと渡り歩く傭兵《ようへい》のような存在をつくりださないということと、戦争をする上での兵力の不均衡をつくりださないことだと思います」

そう言って香西さんは、〔業務分担表〕を書き終え、書類をそろえると、自分の部屋に入った。

戦争についての説明会。兵力の均衡。どうにも思ってもいないものばかりとび出してくる。だが、その説明会の場では、人々の生の声を聞けるのでは、と期待した。この戦争について僕がちっとも理解できないのは、僕自身がずれているのか、それともだれもがわからないままなのか、それを確かめたかった。

◇

水曜日の夜、僕は説明会会場へと向かった。新しく戦域として拡大されるのは、となり町と接する最も南側の地区で、会場は、その地区の公民館の二階ホールだった。妙に豪華な割には、わびしい光を放つシャンデリアが吊るされた階段を上ると、上りきった所に、即席の受付がつくられており、香西さんと室長補佐が座っていた。近づくと、香西さんは「お疲れ様です」と小さな声で言って、いくつかの資料が一そろえになったものを差し出した。僕は室長補佐に目礼したが、室長補佐は特段気付いた風もなく、無表情に眼をあわせないまま小さく目礼をかえした。

二階はテニスコートほどの広さで、普段はカラオケ大会や社交ダンスなどに使われていそうな「宴会場」とも「ホール」ともいえる空間だった。前部には、申しわけ程度にステージがあり、そこにおかれた移動式の黒板に、一人の男性が拡大コピーされた地図を貼っていた。

ステージに向かって五十脚ほど折りたたみ椅子がならべられており、すでに十人ほどの住民がいくつかのコロニーに分かれ、所在なげに座っていた。七時すぎという時間もあって、夕食の支度を終えて急いで駆けつけたという風情の奥さんや、定年退職風の初老の男性がほとんどだった。僕くらいの年齢層はといえば、前から二列目の椅子に座っている、僕より二、三歳年下らしい二人組だけだった。

その男性たちの後ろに座ろうとしてホールの背後を振り返ると、壁にもたれかかるように室長が腕組みして立っていた。

椅子に座り、僕はもらった資料にざっと目を通した。戦域が記された住宅地図のコピー、戦時負担金についてのパンフレット、戦時補償についてのチラシ、そして「戦争で、こんなによくなる私たちの暮らし」と題されたカラー刷りのパンフレット。

表紙のイラストは、銃を持って迷彩柄のヘルメットを被った兄と妹が笑顔で立ち、背後で、両親がそれぞれの肩に優しく手を置いている。中身は戦争の効果として、公園整備の充実や道路の整備などハード面での事例や、戦争に対する交付金や戦勝効果による地域の活性化が謳《うた》われていたが、僕には戦争とその効果との関係性がまったくわからなかった。

パンフレットを読むのをあきらめた僕の興味は、自然に前に座った二人の男性へと向かった。真後ろに座ったので後頭部しか見えなかったが、それでも二人の「ジャンルの違い」は際立っていた。その二人の同類性、同質性というものを、僕は年齢の点にしか見出せなかった。

右側の男はおかっぱ頭をそのまま伸ばし続けたような髪型で、緑色の奇妙な光り方をする着古したジャンパーを着て、身体を小刻みに貧乏ゆすりで揺らしながら、配られた資料をせわしなくめくっていた。

「かはァ、なにこれェ、なァんでこんなちょぼい火器つかうわけェ。CK‐60なんて今時ネットでも値段つかないよォ。ちょっと考えらンない。前代未聞！」

異様に高い上ずったようなしゃべり方で、持っていたパンフレットを丸めると、それでパンパンと掌《てのひら》を叩いた。

「戦争総予算のうち武器に使う割合が定められているし、それに戦争は長期的事業ではないから、思い切った設備投資はできないんだよ」

左側の男が冷静に返した。右側の男と雰囲気はまったく違い、そろえすぎず適当に遊びをもって整えられた髪の毛。濃いグレーのダッフルコートの襟元からは、カシミアらしい薄手のマフラーがのぞいていた。隣の男を見た時、その眼鏡が鈍く光った。

「そうやって役場のバカドモは無駄遣いするわけねェ。戦争のしかたも知らないやつらが、マニュアルどおり戦争はじめて、無駄金ばらまくわけだ。ま、こっちも役場のバカドモにはまったく期待してませんけどねェ。ええもうまったく」

おかっぱの男はせせら笑う。

「期待してないのはこっちも同様だけど、だからこそ俺たちがしっかり監視して、声をあげていかないと、本当に役場の人間のやりたい放題になってしまうからな……、そろそろ始まるぞ」

コートの男はそう言って、何かの決意を感じさせる動作で居ずまいを正した。

◇

定刻の七時半となり、会場には三十名ほどの住民が集まった。後ろで腕組みをしていた室長がゆっくりと前に歩いてきた。舞台のそでに立つまでに、室長は見事に表情を「対住民」用にすげ替えており、にこやかに笑いながら説明会の開始を宣言した。

「本日は、おくつろぎの時間にこうして足をお運びいただきましてありがとうございます。定刻となりましたので、説明会を開始したいと思います。申し遅れましたが、私はとなり町戦争推進室室長の室園《むろぞの》でございます。これからお配りしたプログラムに沿いまして、戦域および戦闘時間については香西が、戦時負担金については室長補佐の前田が、損害補償についてはコンサルティング会社の筒井の方から説明させていただきます。説明は一時間を予定しております。質問につきましては、すべての説明が終了しましてから一括してお受けしたいと思っております。なお、その際には、一般的、全体的な質問をお願いいたします。個別のご家庭のご事情等に関した質問につきましては、この説明会終了後、職員が残っておりますので、そちらでお尋ねいただきたいと思います。それでは説明に入らせていただきます」

室長は深々と一礼し、踵《きびす》を返してまた最後尾の定位置へと戻っていった。先程のにこやかさは微塵も残っていなかった。

プログラムに従い、香西さん、室長補佐、コンサルティング会社の男、という順番で、住民への説明が行われた。もう何度もくりかえしてきた説明らしく、三人ともよどむことなく淡々と自分の持ち分をこなしていった。香西さんは、事務的な中にも潤いを含ませたいつもの声で時折黒板に貼った地図などを示しながら、戦域と戦闘時間についての説明をした。続いて室長補佐が、自分の手にしたパンフレットから一度も視線を上げることなく、戦時負担金についての説明を行った。補佐は以前僕に説明した時と同じ調子だった。

「え〜、負担金と申しましても、え、皆様、え〜、なじみの薄い言葉かと、え、思われますが、え〜、簡単にご説明いたしますと、え〜、戦争という事業を行うにあたって、え〜」

「え〜」は説明が進むにつれて次第に減っていったが、僕はその「え〜」でリズムを取りつつ説明を聞いていたので、ここで出るかな？　と思った場所で出ないと何だか損したような気分になった。ちなみに途中から「え〜」の回数をかぞえていたのだが、十五分間で百五十三回、なかなかのものだ。

　最後に説明に立ったのは、コンサルティング会社の筒井という三十代はじめくらいの男性で、整った髪型と穏やかな表情は、「特定でない最大多数の対象に好印象を与える」ことを信条に、営業活動を続けてきた結果行き着いたものであると窺い知れた。説明も、流暢すぎず、かといってつまずく所もない、「反感を持たれないための話術」を見極めた形でなされた。

　質問の時間になった。まず一人の女性が質問に立った。

「さきほどの説明で、戦闘時間は通勤時間と重ならない九時から五時までということだったんですけど、うちの近所、結構小さいお子さん多いから、三時くらいには保育園とかから帰ってきちゃうんですよ。だから戦闘は三時までってわけにはいかないでしょうか？」

　この質問に対しては、香西さんが回答に立った。よく出る質問項目らしく、返答はよどみなかった。

「ご自宅の周辺の具体的な計画が決定しましたら、各ご家庭に職員と担当兵士で挨拶まわりを行いますので、その際にそうしたご要望をお伝えいただけたら、と思います。基本的にそうしたご要望には可能な限り応じていきたいとは思っておりますが、戦闘の進捗《しんちょく》状況によっては、若干の時間のズレが生じることはございますので、その点はご了承ください」

女性は納得したように隣の奥さんとうなずきあっていた。

次に立ったのは、農作業の途中でやってきたような赤銅《しゃくどう》色に日焼けした初老の男性だった。

「私の知り合いの家でねえ、流れ弾で窓ガラス割れて補償してもらったところが二軒あるんよお。それでねえ。一軒の家は一万円もらって、もう一軒の家は五千円しかもらえんやったらしいんよお。そういう補償金額の基準みたいのはあるんかねえ」

この質問には、室長補佐が回答した。

「え〜、窓が割れた、と申しましても、え、様々ございます。まず窓自体の大きさ、厚さ、一階の窓か二階の窓か、え〜、方角、その窓の使用頻度《ひんど》などにより補償金額の算定基準は変わって参りますので、一概にいくら、という金額を申し上げることは、え、できかねるところでございます」

「言ってることはわかるけど、だいたいいくらっていうのがわかればいいんだけどねえ」

男性は食い下がる。

「おっしゃることは、え、よくわかります。ですが、この場でいくら、という値段を言ってしまうと、役場の人間が言った言葉というのは、え〜、往々にして独り歩きしてしまいますので……。詳しい補償金額の算定基準につきましては、コンサルティング会社の筒井の方が、え、積算資料を持っておりますので、後ほど個別にご相談いただければ、と思いますが……、え、よろしいでしょうか？」

男性はなおもぶつぶつと言っていたが、重ねて質問する意思はないようだった。室長補佐は、慇懃《いんぎん》に見える態度で一礼をして席に戻った。

その後も、「戦時負担金は世帯の家族数に応じて計算するそうだが、うちの息子は他県の大学に行っていて住民票は移していないが、その場合は？」「実際の家屋の損傷だけではなく、騒音なども補償の対象になるのか？」「二箇所以上で戦闘が行われる場合の迂回路はきちんと確保されるのか？」などの質問が相次ぎ、それに対して室長補佐、コンサルティング会社の男、そして香西さんがあいついで回答した。

不思議だった。住民達の質問は、自分たちの、日常の利害の問題に終始していた。僕は思っていた。こうした説明会の場では、一般の住民の戦争に対する思いのようなものを聞けるのでは？　と。だからこそ説明会に参加する気になったのだ。今日の雰囲気では、住民たちは戦争を歓迎はしていないが、しなければならないものとして、積極的にではないが、協力する意思を持っているようだった。

やがて住民からの質問も途絶え、頃あいを見計らって室長が前に立った。

会を……」

「他に質問ございませんでしょうか？　……ないようですので、それでは今日の説明会を……」

と、説明会終了を宣言しようとした時だった。

「ああ、ちょっと待って」

僕の前に座っていたコートの男が、室長の言葉をさえぎった。

「根本的なことを聞きたいんだけど」

そう言って彼は立ち上がり、室長に挑戦的に対峙《たいじ》した。室長はお手並み拝見というかのように、唇の端に笑みをうかべて、表情で「どうぞ」と促した。終わりかけた説明会が引き延ばされたことにため息まじりのざわめきがひろがる。香西さんは、こわばった表情で、あらぬ方向を見ていた。

「戦争についての説明会っていうから来てみたけど、戦争の具体的な日時や補償のことばっかりで、肝心の〝なぜ戦争をしなければならないのか？　なぜ、となり町の人間と殺し合いをしなければならないのか？〟ってことは、ぜんぜん説明していないじゃないですか。そんな住民をだますような説明では納得できませんね」

室長は表向き素直に聞くふりをして何度もうなずいていたが、彼の質問が終わるやいなや即座に切り返した。

「まず訂正させていただきますが、我々はとなり町と〝殺し合い〟は行っておりません。殺し合うことを目的に戦争をするわけではありませんし、戦争の結果として死者が出る、ということですからお間違えのないようにお願いします」

室長は、質問に立った男だけでなく、会場のほかの住民も見渡しながら話し続けた。

「それから、なぜ戦争をするのか、というご質問ですが、それについては広報紙などでもお伝えしておりますし、皆様充分ご理解いただいているものと思っております。説明会では、夜の限られた時間ということも考慮しまして、この地元での問題を中心にお話しさせていただいています」

室長は説明しながら、一人一人の住民と視線を合わせ、そして最後に質問に立った男に視線を戻して言った。

「質問者の方、よろしいですか？」

コートの男ははぐらかされたような気配で瞬時考えていたが、またすぐに立ち上がった。

「じゃあ違う聞き方をしますけど、なぜ戦争でなければならなかったのか。戦争という手段をとらずとも地域活性化の策はいろいろあるんじゃないですか？　そしてなぜ、となり町じゃなければならなかったのか？　こんなふうにまずとなり町との戦争ありきで進められたんじゃ、戦争の陰で何かの利権が動いてるんじゃないかってかんぐりたくなるんだけどね」

室長は、今度は簡潔にふんふんとうなずくと、「そういった考えもよく理解してますよ」という表情を見せて言葉を発した。

「もちろんおっしゃる通りです。この戦争という事業を開始するにあたっては、他にも様々な選択肢がありましたし、戦争という事業決定後も、その相手としてとなり町以外にも水面下での交渉があったことは事実です」

室長は「作られた表情として」顔を曇らせ、続けた。

「しかしそうした選択肢の中から、比較検討し、最も効率的かつ将来性のある事業としてわれわれ行政の立場で、このとなり町との戦争事業を選択しました。資料はすべて、情報公開制度にのっとって、皆さんに開示されています。ですから、戦争にいたる過程に不透明性があったという指摘にはあたらないかと思われます。それに何より」

室長はそこで区切り、ひと呼吸おいて言った。

「そうした状況を踏まえて、最終的にとなり町との戦争を決定したのは議会です。この戦争は、皆さんの代表である議会の承認を受けて進めている事業です」

「出たよォ、役場のバカドモの常套句《じょうとう》」

おかっぱの男が小声で隣の男にささやいた。コートの男は、今度は室長にうながされるまでもなく立ち上がった。

「戦争が効率的だっていうのか！　あんたたちの決めた事で、住民が死んでいくんだぞ！　それを」

　すると、一番前に座っていた男性が口を挟んだ。先ほどから、会場に入って来る住民に「区長さん」と呼ばれていたので、地区の顔役のような人物なのだろう。

「あんたなあ、もう戦争は始まっとるんだから、今さらそんなこともちだしてどうするとな」

　その声は、地区のまとめ役らしく有無をいわせぬ重みを持っていたし、「ワカゾウが何をいうか」という無言の圧力にもなっていた。

「とにかく、もう時間も遅いし、わたしゃもう聞きたいことは聞いたから帰らせて貰うから」

「区長さん」はそう言って席を立ち、他のみんなをうながすかのように振り返り、わざと音立てて出て行った。つられるかのように奥さん連中も声を低くしてうなずきあって、腰をかがめるようにして退出し、男性陣も押し黙ったまま腰を上げた。後に残ったのは、個別の質問がある幾人かで、説明会はなし崩しに終了となってしまった。

　室長は、質問に立った男に「残念だけどしかたないですね」という表情を見せて目礼し、忙《せわ》しげに会場を出た。他の三人も、後片付けや個別質問への受け答えを始めており、二人の若い男性と僕だけが取り残された。コートの男は、怒りの持って行き場をなくして決まり悪げに立ち尽くしていたが、閑散とした雰囲気にいたたまれなくなったかのように、足早に会場を後にした。おかっぱの男が、閉じた歯の間からもらすように笑いながら、その後を追った。ジャンパーのポケットに手を突っ込んだまま、足を引きずるような独特の歩き方だった。

会場を出ると、喫煙スペースがあり、そこでは先に帰ったはずの「区長さん」がタバコを吸っていた。「区長さん」は室長と話をしていた。

「でも、ホントに区長に頼んどいてよかった」

「まあ、ああいう、役場のやることにはなんでも反対したがる輩《やから》はどこでもおるからね」

二人はわるだくみを共謀したように忍び笑いをもらした。

「まあ、また今度ゆっくり」

室長は小さな身体を折り曲げるようにおじぎをした。

「ン……」

区長はタバコを灰皿にねじ込むと、階段を降りていった。

◇

帰り道、県道との交差点で信号待ちをしていると、ちょうど先に出たさっきの二人組が歩いていた。郊外型のハンバーガーショップに入るところだった。僕はちょっとした興味から、彼らが店に入るのを待って車を駐車場に入れ、彼らが注文を終えて席につくのをみはからって店内に入った。

注文をすませ、店内の雑誌を手にして、二人とは装飾の施された擦りガラスで隔てられた席に座った。実質的には五十センチほどしか離れていなかったため、会話を盗み聞きするには絶好の場所だった。

「いやあ、それにしてもキミはかっこ悪かったねえ、さっき。いやあ、不発弾！　て感じ？」

おかっぱの男が、ちゃかすような調子で言う。コートの男は、むっつりとだまってハンバーガーを食べているのがシルエットでわかった。やがて憤るように声をしぼりだした。

「あの区長にもだけど、役場の人間にも、住民たちにも、意識の低さには驚かされたよ。役場が勝手に決めたことにハイハイ従って、自分の利害しか考えてない。あれがのちのち自分たちの首を絞めるんだって、なぜわからないのかな？」

その口調には憐れみが込められていた。

「だからさあ、役場のバカドモもそうだけど、アンタはここいらの田舎モノに何を期待してるわけェ？　それにさ、アナタ、戦争が悪なんていう前世紀の遺物みたいな論理、イマサラもちだしてんじゃないですよ。そんな時代はとっくに終わってンだから。時代錯誤！」

おかっぱの男は飲み物の中の氷をがらがらと音立てながら、大上段にコートの男を教え諭す。

「わかってるさ、そんなことは」

コートの男は、ため息混じりに言った。ため息は自分に向けて発せられたようであった。

「俺だって戦争の必要性はわかってるし、自分の町を守りたいって気持ちは人一倍もってるよ」

「それは、殊勝な心がけですなァ」

おかっぱの男は身体をゆすった。その動作はシルエットだけでも、男の落ち着きのなさを充分にあらわしていた。

「とにかく俺は、戦うんだったら、自分の敵がだれなのかをはっきりと見極めたいんだよ」

コートの男は、正義に裏打ちされた使命感に満ち満ちていた。おかっぱの男は、ハンバーガーをほおばったまま、そんな正義感をあざけるように言い放った。

「アンタの敵は、戦争の裏で甘い汁すってる奴らなんデショ。町兵なんかになってもそいつらには弾は届きませんよォ」

「そういうお前はどうなんだよ？　役場のバカドモに一泡ふかせてやるって言ってたよな」

「ワタシ？　ワタシはワタシなりのやり方でこの戦争に参加させてもらいますよォ。最近暇だしねェ、まっ、役場のバカドモ相手じゃ暇つぶしにもなりませんケドねェ」

異様に高い上ずった笑い声が店内に響き渡った。制服姿の女子高生の三人組が、それぞれにのけぞったような恰好で携帯電話の画面に向けていた視線を、一様に声の主の方へと向け、あからさまな侮蔑《ぶべつ》の表情を見せた。

おかっぱの男とコートの男は、それからは会話らしき会話もなく、やがて互いが食べ終わったのを確認すると、立ち上がった。擦りガラスのパーテーションごしに、コートの男の顔がのぞいた。説明会の時は背後に座っていたので、顔を見るのははじめてだった。そこには、そのコトバどおりの意志の強さと、それに相反する不安定さが、奇妙に同列に表出されていた。

「とにかく、お互い、信じた道を行くしかないさ」

コートの男は、襟元を直しながら、誰に言うともなく呟いた。そしてふわりと、視線を店内におよがせ、僕の視線と交錯させた。

ほんの一瞬のことであったろう。しかしその視線の中に、何かに似たものを感じた。それが何かを思い出す間もなく、彼は視界から去った。

僕は注文してそのままだったフィッシュバーガーをほおばった。すでに冷えてチーズが固まっており、あじけない思いを咀嚼《そしやく》するあごの動きに込めた。

あじけなさは、チーズのせいばかりではなかった。彼らは、僕と同じ世代なのだ。それなのに、おかっぱの男も、コートの男も、僕とはまったく違う「戦争への想い」を持っていた。まるでゲームででもあるかのように、状況を愉快犯的に楽しもうとするおかっぱの男。「町を守る」ために戦うことを当然と考え、戦争に純粋性を求めるコートの男。

正義や愛、道徳などという概念が、所変われば様変わりすることは充分にわかっているつもりだ。だが、それはあくまで遠い異国の地、特に宗教的な基盤が違う他国においてのことだと考えていたのだ。これもすっかり冷えてしまったレモンティーを口にしながら、思う。僕が常識と思っていること。それは自明であると思っているが故に、あらためて誰かと議論するということも今までなかった。だが、常識の淵から一歩身を乗り出して見ると、そこには深く、そして暗い亀裂が横たわっているかもしれないのだ。戦争を否定できる「僕たち」なんてものは、どこにもないのかもしれない。

僕はその亀裂の奥に蠢《うごめ》くものを、コートの男の表情と重ね合わせながら、フィッシュバーガーの最後の一口を噛みしめた。

◇

「あぁ、ここですよ。おぼえてますか？」

主任は運転席の僕に背後から声をかけた。主任が社用車に乗って外に出るというのもめったにないことではあったが、年末の人手の足りない時期でもあり、最近めずらしく主任はたびたび休みを取っていたので、自ら外回りの営業への同行をかって出ていたのだ。

「ああ、この公園は」

信号で止まっていた車の中から、葉の落ちた広葉樹に囲まれて、ジャングルジムやブランコの剝げてしまった塗装が寒々しさを助長する公園を見て、僕は主任が言っていることを理解した。あの通り魔殺人事件が起こった場所なのだ。

「あのあたりに被害者は倒れていたようですが」

後部座席の間から身を乗り出すように話していた主任は僕の前にぬっと腕を突き出し、丸っこい指で公園脇の歩道を指さした。

「主任はそういえば、あの事件の記事を集めてましたけど、何かわかりましたか？」

この地方都市での殺人事件というのはめったにないことだから話題性はあったが、結局は一過性のもので、日々の雑多な情報の中に埋もれてしまっていた。その後の報道で、犯人の手がかりすらつかめていないということはわかっていたが。

「このまま、迷宮入りなんですかねえ」

信号が変わり、僕はアクセルを踏みながら主任に、というわけでもなくため息混じりに言った。

「殺す動機がなく、目撃者がいないとあっては、警察もお手上げですよ、はい」

主任はなぜだか、公園の方を名残惜《なごり》しげに振り返る。

「もっとも、殺した本人が良心の呵責《かしゃく》に苛《さいな》まれて自首でもするなら別ですけどねえ、はい」

「自首か。すると思いますか？　主任」

僕は、バックミラーごしに問い返す。主任はまだ振り返ったままなので、その後頭部しか見えなかった。

「よく言いますねえ、人は二面性を持っているって。慈悲の心と、残忍な心。よく殺人事件で、犯人の近所の方のインタビューがありますねえ。近所の人が『まさかあの人が』って言ってるやつですねえ。『優しい好青年と思われていた犯人の心には、どんな闇が巣くっていたのでしょうか？』なんてリポーターにまとめられるやつですよ」

「まあ、ありがちですよね」

主任のいつにない饒舌《じょうぜつ》さに多少戸惑いながらも、僕は無難に受け答えた。

「私に言わせれば、殺す人間は二面性なんか持っとらんですよ。殺すと殺さないとは紙一重ってのもちがいますなあ」

「じゃあ、殺すことと殺さないことの違いって、何なんですか？」

主任はようやく前に向き直り、またさっきのようにシートのすきまから身を乗り出した。

「同じなんですよ、はい、この犯人にとっては。ある場所から見れば、殺すのも殺さないのもまったく一緒なんですねえ。はい。この犯人は、そんな場所に立って人を殺しとりますなあ」

ふいに強い力を感じてバックミラーに視線を移した。主任の二つの眼が、ミラーを占拠して僕を見つめていた。その眼は、視線が合ったのがわかると、にっこりと笑って細められた。

「一緒なんですよお、はい、モノを壊すのとねえ、一緒なんですよお」

ミラーから視線をはずしてもなお、主任の細い眼に浮かんだ笑みは長く僕を離さなかった。

第4章　査　察

その事態は、香西さんとの生活にもようやく慣れてきだした頃に起こった。いや、起こったというのは正しくないのかもしれない。あいかわらず僕には戦争の影は見えなかったのだから。

いつものように僕が先にアパートに帰り、夕食をすませて、香西さんが帰ってくるのを待っている。そんな時間にその電話はかかってきた。僕は「闘争心育成樹」に水をやっていたので、小さなじょうろを片手に持ったまま受話器を見つめた。この分室の電話は取らないことにしていたからだ。呼び出し音は正確に二十回続き、十秒の間隔を置いてまた鳴り出した。

その律儀な「鳴り様」に、もしかして、と思い、じょうろを持った手とは反対の手で受話器を取った。なにがしか不吉な思いがして外を見た。カーテンを開けはなしたままの窓を時折、北風が揺らしていた。冬がその到来をゆるやかに主張するかのごとくに。

香西さんの切迫した声が告げた。

「公社が動いています」

「えっ、戦争公社ですか？」

「一度しか言いません、確実に聞き取ってください。おそらくこの電話も公社に筒抜けのはずです。公社が今日付で〔戦争における町民意識調査対象家屋について〕の町長決裁を受けたとの情報が入りました。おそらく今夜にも意識調査に名を借りた分室の査察があるはずです。分室にあるファイルを持ってそこを離れてください。ファイルナンバーはTS23―11―20。私の部屋の、机の上の、緑のファイルです。ファイル保管場所の一時変更は文書管理係の決裁を受けています。それから〔偵察員記録表〕。その二つを持って分室をすぐに離れてください。それ以後の行動については、緑のファイルの、決裁ナンバー38の緊急時行動マニュアルを参照してください。それではこれ以後連絡は取れなくなりますので、くれぐれもお気をつけて。公社は公告なしに居住者の拘束や所持品を没収する権限を持っています」

「携帯電話でも連絡を取ることはできないんですか？」

「携帯電話もこの電話同様、公社に押さえられている可能性が高いのです。今後の連絡の取り方に関してもマニュアルの中に記載されています。それから懐中電灯を忘れないように」

「あっ、はい」

「それから、最後に忠告をひとつ」

受話器の向こう側からは、聞き取れないざわめきや何かを指示する怒声、救急車のサイレン音が入り混じって聞こえてくる。

「あなたはこの戦争の姿が見えないと言っていましたね。もちろん見えないものを見ることはできません。しかし、感じることはできます。どうぞ、戦争の音を、光を、気配を、感じ取ってください」

「はい、わかり……」

僕が言い終わらないうちに、電話は一方的に切られた。いつもの香西さんらしからぬ作法に、状況をつかめないながらも事態の切迫性を思い知った。リュックを押し入れから出すと、言われたとおりにリビングの〔偵察員記録表〕を取り、香西さんの部屋から緑のファイルを取って懐中電灯とともにリュックに突っ込み、動きやすい靴を履いて、部屋を転がり出た。

「とりあえず、どうしようか」

独り言のように呟きながら、考えを整理した。事態の切迫性は理解したものの、何に対して警戒すればいいのかがわからないのだ。一つ深呼吸をして、歩き出した。

「どうぞ、戦争の音を、光を、気配を、感じ取ってください」

僕は香西さんの忠告を噛み締めた。吐く息が白く漂う。この冬はじめてのことだった。

住宅街を町役場と逆方向に進むと、やがて町道に出た。少し先には、この町に住むようになってから何度か利用したレンタルビデオ店があったので、何気なさを装って店内へと入った。

ビデオを物色する様子を見せて、店内をぐるりと一周した。アルバイトの店員たちが仲間内での会話に盛り上がりながら、客がカウンターに来ると露骨に事務的な動作で対応する。いつものとおりだ。ビデオの特集コーナーは、意図してなのか、「戦争映画特集」であり、あまりこだわって選んだとも思えない古い作品が並べられていた。

特に監視されているような気配は感じられなかった。店内の雑誌コーナーで、雑誌を読むふりをしながら、リュックの中からファイルを取り出し、決裁ナンバー38だけを抜き取ると、雑誌に挟み込むようにしてその内容を確かめた。

そこには、様々な場合に応じた対処方法がマニュアル化されていた。多少のあせりを感じながらも、順を追って見ていくと、〔査察時の退避先〕という項目があり、別掲地図④を参照せよと書いてあった。決裁ナンバー38は、四十頁ほどの本文と別紙資料からなり、別掲地図④は、住宅地図をコピーした形で最後に綴じられていた。

地図には、一軒の家に赤いマーキングが施されていた。僕は地図をざっと見わたして、目印の建物をいくつか確認すると、文書をリュックにしまいこんだ。ここから目的地までは約一キロほどの距離のはずだった。僕は店の外に出た。自動ドアが閉まって、店内から明るい光とともに漏れ出していた音楽がとだえ、それを合図にするかのように、その家へ向けて歩き出した。

◇

地図が導いた先は、まったく何の変哲もない一般の住宅だった。しかも灯りすらついていなかった。「佐々木」という表札の掲げられたその家の周囲を一周してみたが、人の気配も感じられなかったので、僕は落胆しながらも、玄関のチャイムを押した。案に違わず、チャイムは家の中で空虚に響いているようだ。

背後の道路に、車が近づいてきた。僕はもう一回チャイムを押すと植え込みの陰にそっと身を置き、車が通り過ぎるのを待った。車は、何者かを捜し求めるかのように、必要以上にゆっくりと走って行った。

車の音が消え去ったころ、それを待っていたかのようにかちりと、扉が静かに音立てて外に開かれた。僕は植え込みの陰に立ったまま、出てくる人物を見極めた。年齢は四十歳前後であろうか、いかにも「佐々木さんちの奥さん」然としたその女性は、玄関の灯りをつけないまま僕を迎えた。「佐々木さん」は無言のまま僕を玄関に招き入れると、また鍵を締め、確かめるようなそぶりもなく、僕に封筒を渡した。

その時、玄関の前に車が止まった。地面を踏みしめる硬い靴音。車の扉の閉まる音。

23と戦第38号
となり町戦争推進室

敵地潜入時における緊急時行動マニュアル

《目次》

それらの音に挟み込まれるように、なんらかの金属質の装備品が触れ合う摩擦音。もちろん単なる音にすぎない。でも僕は「戦争の音」を感じた。今にもだれかがこの玄関をノックしそうで、背筋にゾクリと悪寒を感じた。

佐々木さんは、無言で僕の腕を引っ張ると、靴を履いたままの僕を奥の部屋に連れて行き、窓を指差した。僕は彼女の言わんとするところを理解し、窓の外の植え込みに飛び込んで、裏口から外へと出た。走る靴音が乾いた路面に響く。その響きの中で、一つ思い出したことがあった。今助けてくれた「佐々木さんちの奥さん」は、僕と香西さんが「闘争心育成樹」を買った時、お店で手持ち無沙汰に座っていたレジの女性その人だった。

五分ほど走り、僕は背後を振り返った。追ってくる様子はない。小さな神社を見つけて、境内の裏手に回りこみ、そこで封筒の中身を確認した。封筒の中には「舞坂町財産管理係備品」と裏面に記された携帯電話と、電話番号が書かれた一枚のメモ、そしてアイマスクが入っていた。アイマスクの用途はわからなかったが、僕はためらわずに、メモの番号を押し、回線が繋がるのを待った。三回、四回、呼び出し音が鳴る。じれるような思いで、誰かに「繋がる」のを待った。

「お疲れ様です。第一関門はクリアしました。異状はありませんか？」

その電話は、なつかしい香西さんの声へと繋がった。

「はい、何とか、何事もなく」

「それでは第二関門です。あなたには、分室のファイルを舞坂町まで届けてもらわなければなりませんが、すでにこの町に通じるすべての道は封鎖されています」

「それでは、どうすれば？」

「町職労の関連労の青年部に協力してもらいます」

「チョーショクローのカンレンローのセーネンブ？」

言葉の意味がよくわからないままに問い直す。

「なじみのない言葉でしたね。その町の職員労働組合を組織する団体の中で、関連団体労働組合の青年部に協力を依頼しています。もちろん公務員というのは、職務専念の義務があり、組合活動には大幅な制限があります。町の政策として戦争の遂行が決定されたからには、職務命令としてその業務に従事しなければなりませんが、中には陰なる動きとして戦争に反対する行動をおこす職員もいます。今回はそうした勢力に、あなたを町外に出す手助けをしてもらいます」

それから僕は、携帯電話で通話をしたまま、香西さんの指示によって、町の中を目的地もわからず縦横に動いた。小さな路地を行き、水路沿いの空間を壁に張り付くように移動し、畑のあぜ道を走った。香西さんは、住宅地図を見ながら通話しているらしく、僕の歩みにあわせて的確な指示を出した。

何を基準に危険と安全を判断しているのかはわからなかったが、もともとこの町の道をうろ覚えの僕は完全に方向を失い、香西さんの指示にすがるよりなかった。

多少息を弾ませながらも、指示に従って歩いていると、やがて高速で走る車特有の風切り音が前方から聞こえてきた。この町の南側を貫く高速道路だ。

「そこで止まってください。近くに高速道路が見えますか？」

「はい、あと……五十メートルくらいです」

「高速道路をくぐるトンネルの周辺に異状はないですか？」

香西さんがそう言う理由が理解できた。高速道路は土を盛った築堤の上に高架で作られており、その下をくぐる一般道はトンネルによって向こう側へと通じていた。つまりは、人の移動を把握しようとするなら、このトンネルで、というのは誰でも考えつくからだ。

僕は少しずつトンネルに近づいた。トンネルとはいっても、高架を抜けるだけの、長さ三十メートルほどの直方体にくりぬかれた空間だ。僕は民家の植え込みの陰から首を伸ばしてトンネルの内部を観察した。

斜めに延びていたため、この位置から向こう側までを見通すことはできなかったが、その中ほどからぼんやりと光が漏れている。あるいはトンネルの中の外灯かも知れない。光は時折ゆらりとトンネルの壁面を舐《な》めるように揺れ動いた。その動きは、人の手によるもののようでもあったし、単なる風による動きかも知れなかった。

「香西さん」

「どうしました？」

「誰かがいるみたいだ。トンネルの中に」

「そうですか、やはり検問があるようですね、それでは少し待機してもらえますか」

そう言ってしばらく香西さんの声は途絶えた。僕はいつ会話が再開されてもいいように、道路から見えないブロック塀の陰にしゃがんで、携帯電話の向こうに耳をすます。少し遠くで香西さんと誰かが議論をする声が聞こえた。そしてコンピュータの端末を叩く乾いた音が断続して聞こえた。

「おまたせしました。ではそこから畑に沿ったあぜ道に入ってください」

「はい」

僕はまた言われるままに歩き出す。いくつかの指示に従って歩くと、やがて前方に低いフェンスが現れた。その向こうをのぞくと、五メートルほど下が川になっていた。

「そのフェンスを乗り越えたら、川へ降りるはしごがかけられていると思います。そこを降りたら、川の上流へと歩いてください。しばらくするとコンクリートで上部を覆われた暗渠《あんきょ》になります。その暗渠をさかのぼっていくと、高速道路を越えることができます。ただし、暗渠の中で先ほどの検問の真下を通過しますので、足音を極力たてないように気をつけてください」

「暗渠はどれくらい続きますか？」

「はい、まず五十メートル、右に曲がって約二百メートル、この中間でトンネルの下を通過します。そして左に曲がって三十メートルで暗渠を抜けます。そのあと、さらに五十メートル進むと左側にそこにあるのと同じようなはしごがあります」

「そこを登ればいいんですね」

「はい、それでは、暗渠を抜けるまで、また一旦通信を中断します。どうぞお気をつけて」

そう言って、香西さんは通話を終了した。

僕は携帯電話をズボンのポケットに入れると、口に懐中電灯をくわえて、フェンスを乗り越えた。はしごは、鉄製で壁面のコンクリートにすえつけてあったが、いまにも折れそうに錆《さ》びていた。僕はなるべく体重を一気にかけないように慎重に足を運んだ。

最後の一段を降り、川へと足を踏み入れた。その途端、ジョギングシューズを履いた足はじんわりと水に浸された。川とはいっても三面をコンクリートに囲まれており、またこの地域は下水道が整備されていないらしく生活排水が流れ込んでいたため、むしろ大きな溝と表現した方がよかった。流れる水はくるぶしほどまでだったが、異臭が漂っていた。

僕は冷たさと臭いに少々辟易《へきえき》しながらも、水音を立てないように上流を目指した。犬の鳴き声と、高速の自動車の風切り音が、僕のまわりの壁に反響していた。

しばらく歩くと、香西さんの言うとおり、川は暗渠となって暗いコンクリートの空間から流れ出ていた。僕は一つ大きな深呼吸をして、闇の中に足を踏み入れた。

暗渠とはいうものの、十メートルほどおきに鉄製の格子状の蓋《ふた》があり、そこから夜とはいえわずかな光が漏れさしていた。目立たないよう、懐中電灯はつけず、上の天窓からの灯りをたよりにさぐるように足を進めた。暗渠の中はところどころ落ち葉や石、時には自転車など、さまざまな堆積物があり、僕はそれらにつまずかないようにすり足で先へと進んだ。闇の中では、距離の感覚が次第に失われていく。「まず五十メートル、右に曲がって二百メートル、左に曲がって三十メートル」香西さんの指示を繰り返しながら一歩ずつ進む。自分が何のためにこの空間にいるのかがわからなくなる。足の感覚が麻痺してくる。水の流れは四方にこだまし、水音としての意味をなくしていた。僕は僕の中のリアルを失う。僕は、今、何の、ために、歩いて、いる、のか。

「まず、五十、メートル、右に、曲がって、二百、メートル、左に、曲がって、三十、メートル」

一歩踏み出すたびに念仏のようにそう唱えていった。そうでもしなければ自分がここにいることすらリアリティを失ってしまいそうだったからだ。いつか見た戦争映画のように、この暗渠の先に光が広がる時を待った。でもそんな戦争映画を見た覚えはなかった。そう、僕は僕の中の普遍化された戦争のイメージを、今歩いているのだ。不意に、四つ先の天窓から漏れこむ光の中に動くものの気配を感じて、僕はわずかばかりのリアリティを取り戻した。立ち止まり、それが何かがわかるまで動かなかった。暗渠の上は道路になっているらしく、一台の車が通過していった。それにさえぎられ、天窓は順にその光を一時失う。僕はさっきの気配も車の影だったのかもと思った。しかしやがて動くものは三つ先の天窓の下に現れた。こちらに向かってくる。人だ。

逃げるか。僕は判断に迷った。向かってくるのが敵だとしたら、ここで逃げればその相手から逃れることができても、上の検問には音でわかってしまうだろう。それならば、まだ敵かどうかわからない前方の人間を確かめるほうが先だろう。相手もまた、灯りをもっていない単独行動らしいことに救いを求めた。

もう僕は動かなかった。動くものはやがて、二つ先の天窓に、そしてすぐ眼の前の天窓に姿を現した。

大きな音を出したくないのはむこうも一緒らしく、動きは緩慢であった。そこに至ってはじめて相手は僕に気付いたらしく、少し身じろぎして後ずさりしたが、僕が動こうとしないのを見て、近づいてきた。

「どうやら、おたがい素性を詮索《せんさく》しないほうがいいみたいだねェ」

相手は上ずったようなしゃべり方をした。この声には覚えがあった。あの地元説明会の日、役所の戦争の仕方をバカにしていた、おかっぱ頭の男だ。

「ああ、このままお互い通り過ぎよう」

僕はそ知らぬふりで、そう言い返した。

「舞坂に逃げる気ィ？　もしかして？」

「ああ」

「ちょおっと素人《しろうと》さんじゃ無理じゃないかなァ？　ぜぇんぶ封鎖してるよォ、この先ィ」

「まあ、なんとかするさ、そういう君は舞坂から？」

「そっ、散歩しにきたんだなァ、ちょっと暇だったんでねェ」

彼は、自分が気軽にやってきたということを強調するためか、そんな表現をした。

「どうやって封鎖をかいくぐったの？」

「どうやって入ったかって？　それは、教えられないンだなァ。まっ、兵法の基本すら知んないバカドモの眼を逃れるのなんて、慣れてればカンタンなんだけどねェ」

そう言って彼は天窓の方を見てせせら笑った。

「答えなくてもいいけど、この町に潜入して何をするつもり？」

僕は少し興味を持って聞いてみる。彼がもったいぶっているようで、それでいて話したくてたまらないのは手にとるようにわかった。

「あァん、そうだね、この町にこの時間に入ったって証明に、コンビニで買い物してレシートもらって帰るッ・モ・リ」

彼は本当に得意げにそう言ったので、僕は何だか拍子抜けしてしまって重ねてたずねた。

「それは……、自己満足みたいなもののためにやってるの？」

「なはぁにおぉぉ！」

彼はまるで自分の自慢の作品をけなされた子どものように憤慨した甲高《かん》い声をだした。

「ちょっとぉお、バリ突しようってくらいだから、もっといいレスポンスくれると思ったらァ。ホンットに素人サンなわけねェ。わかったわかった。会話レベル調ォ整！」

そう言って彼はその「レベル調整器」のつまみがあるかのように、胸のあたりで右手を回転させた。

「あのさァ、ネットの戦争系のサイト見たことないかなァ、『バリ突』、『ジミー』に『倒撮』って、基本中の基本なんだけどォ」

「は？」

「バリ突はバリケード突破、今やってることね。ジミーは地面を見るで地見ーね、薬《やっ》莢《きょう》拾いとかのこと。トウサツは盗み撮りの盗撮じゃなくって、倒れると撮影で倒撮、戦死写真の撮影のこと。戦争楽しむのにも派閥があるってコトですよ。アタシは一番過激派だからさァ」

僕は戦争がそうした形で盛り上がっていることをまったく知らなかった。まだまだ聞くべきことはあったが、お互い悠長にしている時間はあまりなかった。

「じゃあ、まあ、お互いつかまらないように」

僕がそう声をかけると、彼は「素人サン」と同レベルで会話したくないというかのように、「あぁ、はいはい」と受け流した。

「ああ、ちょっと。あと三十メートルも行けば検問の真下だから、音立てないようにねェ。こっちも素人サンのとばっちり受けたくないからねェ」

そう言いながら、彼は少し腰をかがめた忍者を擬したような動きを見せて通り過ぎていった。

僕には、戦争のリアルは伝わらなかったが、彼に出会えたおかげで、今の僕自身のリアルを取り戻すことができた。再び天窓からの光をたよりに歩き出す。一つ、二つ、そして三つ目。この上で検問が行われている。そんなことは感じさせないほどに静まっていた。それでも僕は天窓の光を避けて、暗渠の壁面に張り付くように一歩一歩を進めた。「戦争の音を、光を、気配を、感じ取ってください」。香西さんの言葉を思い出す。この光を隔てた外の世界に、本当に戦争があり、検問があり、人が拘束され、殺されるというリアルを想像してみる。僕の中を高速でそのイメージが通り過ぎた。高速道路を行く車の風切り音とともに。僕は身震いし、もう迷うことなく、暗闇慣れした眼で暗渠の先を目指した。

◇

川を抜け出して、香西さんとの通話を再開した。どうやら僕は、となり町の外れの方へと導かれているらしい。おぼろげにそう感じていると、不意に香西さんが指示を出した。

「そこで止まってください」

「あ、はい」

「眼の前に白い二階建ての建物が見えますか」

「はい」

「それでは、ここでまた通信を終了します。そこでアイマスクをつけて、後はそこに現れる人物の指示通りに動いてください。それから、先ほどとなり町は佐々木さんの家の査察を行いましたので、もうすぐこの携帯電話の通信も傍受可能になると思われます。ですからもうこの電話で指示を出すことはできなくなります。どうぞ気をつけて」

そう言って香西さんは通話を終えた。

僕は白い建物に近づいた。何故か白くペンキ塗りされた小さな玄関と、不自然に小さな窓。そしてガレージらしいシャッター。看板も表札も何もなかったので、何を目的とした建物なのかはわからない。

あたりを見回す。人の気配はない。街灯に照らされた植え込みが、風に揺れて路面に大きな葉影をゆらげる。僕はもう一度あたりを見回し、それからアイマスクをつけた。視界が閉ざされ、そのぶん聴覚の支配域が拡がる。

どれぐらい待っただろう。やがて二人の人間の近づく足音がした。僕を驚かすまいという配慮からか、静かに背後から近づくと、一人がそっと僕の腕を取った。僕は腕を引かれるままに歩いた。それからは、音だけで判断するしかなかったが、シャッターが開けられ、車の後部ハッチが開けられたらしい。ふたたび腕を取られ、中に導かれた。手探りで前に進む。手に触れた質感は……、段ボール箱だ。どうやら彼らは僕にその中に入れといっているらしい。

素直に従って僕は、「寝転んだ体育座り」で段ボール箱の中に収まった。二人は、お互いに声を出さないままに、蓋をしめると、車を動かした。

車は、五分ほど走っては止まり、なにがしかの報告らしきものを受けて、また走り出すという動きを繰り返した。車が止まった際の、運転手とその場の誰かとの断片的な会話から判断すると、この車は、道路封鎖個所間の連絡や資材輸送の役割を担っているようだ。確かに、この中に隠れているというのは絶好の隠れ蓑にはなる。僕は多少息苦しい思いをしながらも、まるでお腹の中にいる胎児のような奇妙な安心感を味わっていた。

「……2号、…………を南に……ます。…………はありません。5号車どうぞ」

「…………車、了解」

車には無線を積んでいるらしく、時折切れ切れのやりとりが聞こえてきた。

小一時間ほど経っただろうか、それまで舗装道路を走っていた車が徐々にスピードを落とし、やがて止まった。一拍の間合いの後、ふたたび動き出す。何かに乗り上げるように揺れ、舗装していない大地を下っていく気配。そうして車はかなりの揺れを僕に直接に伝えながら止まった。

止まると同時に、運転席と助手席の男達は車を降り、外にいる男となんらかの会話を交わしていた。その声は遠のいたと思うとまた近づき、また離れた。雰囲気からすると、周囲の地面に点在するものを確認しているようであった。

「……ちら防災3号。……地区高架下第2検問………川………付近、侵入者発見、捕獲。………により………ためこれよりクリーン………向かいます。どうぞ」

無線の情報が途切れ途切れに伝わった。運転席にはだれもいなかったので、この情報を聞く者は僕しかいなかった。

「もしかして」

僕はつぶやく。切れ切れの無線ではあったが、今の内容は、あの暗渠の中で出くわしたおかっぱ頭の男のことではなかったのか？　彼は捕まってしまったのだろうか。

やがて、また会話が近づいてきて、車の後部ハッチが開けられた。見えるわけではなかったが、僕は緊張で身体を固くした。

男達の「せえのおっ」というかけ声とともに、荷台の僕の横に、どさりと重量感のあるものが投げ込まれた。それは、荷台の床に激しくぶつかり、鈍い音を立てた。硬質ではない、独特の質感を持った音だった。

荷物は計五つほどあり、最後の一つは、載せる場所がなく、僕の入った段ボールに半分のしかかるように詰めこまれた。男達は、載せ終わると、ハッチを閉めようとしたが、何かがひっかかってハッチはバウンドするような音をたてて跳ね返った。

「それ、無理矢理折り曲げてもらえますかぁ」

一人の男が離れた場所から大きな声で指示を出す。

「もう固くなってるから……」

もう一人の男が躊躇したような声で応える。

「心配ないですよお、それはもうモノなんですからねえ」

そう言いながら最初の男の声が近づいてきた。

「これは、もうモノなんですよお」

もう一度そう言うと、男は力をこめて荷物のせり出した部分を押し込む。きしむような音をたててそれは車の荷台におさまり、ハッチが勢いよく閉められた。

再び車は走り出した。車が揺れるたび、上に載せられた荷物は微妙にテンポを外したバウンドを繰り返した。その重みで、段ボール箱は半ばひしゃげ、僕は段ボールを挟んでその荷物と密着していた。すこしずつ、重みが僕に伝わってくる。バウンドするたび、さっきの「もう固くなってるから……」というコトバが僕の中で繰り返される。わからないままにその「何か」が折り曲げられる様を想像する。そして「心配ないですよお、それはもうモノなんですからねえ」というコトバ。僕はその声とコトバに聞き覚えがあった。そう遠くないいつか、僕はこの声とコトバを聞いたのだ。

舗装道路に戻った車は、深夜の町を速度を上げて走り抜けた。僕はようやく落ち着いて段ボールの中で居ずまいを正した。運転手たちもようやくひと心地ついたというように会話し出した。

「今の、あれだろ？　例の」

「ああ、外国での戦闘経験者ってやつ」

「いい抜け道だよな、国の通達が【国内での戦闘経験者】を禁じてるから」

「なんか向こうでは十人以上ってうわさもあるけど」

「あの手際の良さはね〜」

「でも、そうは見えないよなあ」

「見えない見えない、見たとこ人のよいおっちゃんなのにね」

「でもな」

「でも何？」

「あの眼見た？　載せる時の」

「いや、なんで？」

「あれは怖いよ、なんかね」

「…………」

「なんか、静かすぎるっていうか、あんなことの後なのに、淡々としてて、それが何だか余計怖くってね」

「まあ、何にしろ味方で良かったよ」

「ああ、両方の町から依頼あったって話だから。向こうの町長も裏から手を回してたらしいけど」

何度かの信号待ちの後、車は左折し、料金所のような場所で一時止まり、係員らしき声の指示を受けて、何かを大きくまわりこむように走った。一旦止まった車は、「オラーイ、オラーイ」という誘導慣れした声に従ってバックし、「トオオーップ」という声で止まり、荒々しい勢いでハッチが開けられた。

それと同時に僕の耳に伝わってきた音と響き。何かが、奥底にモーターのような地響きを持つうなりを、絶えず発していた。

「そうか、いよいよ第一陣か」

「気持ちいいもんじゃないが……」

「まあ、決まったことだから……」

「そっちを持って」

音にかき消されないように、自然に男たちの声は大きくなっていた。

「これは、包んだまま落とせばいいのか？」

一人が躊躇したように聞く。そして、僕の横に積んであった荷物は、次々と引きずり出され、どこかに落とされたようだった。落ちる音は、騒音にかき消されて聞くことはできなかった。

「この段ボールは？」

係員と思われる野太い男性の声がして、僕の入った箱に手がかけられた。僕は横たわった姿勢のまま身を固くした。

「いや、それはいいんだ」

おそらく僕の乗る車を運転していたらしい男の声が、あわてたそぶりを押し隠すような口調でそれを制した。僕は思わず身じろぎしてつぶっていた眼を開けた。僕の入った段ボールは、上に荷物が載っていたせいで半ばひしゃげ、合わせ目のガムテープがはがれて細く光が注いでいた。思わず光の先に眼をやると、係員のじっとこちらを見る顔があった。身じろぎ一つできないまま動悸が高まる。冬だというのにじっとりと汗をかいていた。係員の手は段ボールにかかったままだ。その何秒かが長く長く感じられた。

その時、もう一台車が入って来る音がした。

「ん？　3号車も来たか？」

そう言って、係員は手を離し、そちらへ向かった。さっきと同じくバックを誘導し、後部ハッチを開けたようだった。

「なんだ、そっちは一つだけかあ？　あれ、包んでないのか？」

係員はハッチの中を品定めする風だった。

「ちょっと予定外の所で載せてきたんで、この車、まだ防水袋の支給、受けてなかったんですよ」

今度の車の運転手はまだ若い女性らしく、周囲の音に負けないよう声を張り上げていた。

「よし、なんにしろ落とそう。そっち持って」

「うわ、まだやわらかいな」

「引きずるな……せえのっ」

男達の作業の声を聞きながら僕は考えていた。３号車。さっきの無線ではたしか防災３号と言っていた。

僕の思いを中断するかのように、車のハッチが閉められ、動き出した。

右に左に僕を揺らしながら登っていく気配。どうやら山道に入ったようだ。しばらくすると、路面がアスファルトから砂利道に変わった。支えのない僕は身体をあちこちにぶつけながら、クッションもなく直接に響く振動にうめいた。

◇

どれくらい登っただろうか。不意に車は動きをとめ、僕の感覚は、周囲の静けさの中に埋没した。助手席の人物が車を降り、後部のハッチを開けると、「アイマスクをつけて」と声をかけてから段ボール箱を開け、僕を外へと導いた。

「この道だけは封鎖されてないから。ここからとにかく上へ行くと林道に出るから。そこがゴール」

車の中からそれだけ言うと、すぐに走り去った。僕は車の音が完全に消えてしまってから、アイマスクを外した。外の世界も暗闇に包まれていた。久々に自分の足で立ったので、ぐらぐらと地軸がゆれるような感覚の中にしばし漂い、頭を振って久しぶりの冷気を吸い込んだ。

「上へ、か」

確かに、山をさらに登っていく小さな道ともつかぬわだちがあった。僕はリュックから懐中電灯を取り出すと、そのわだちをたどっていった。

おそらく地元の人間しか知らないそのわだちは、登るに従い、かすかに草の踏み分けられたけもの道の様相を呈した。僕は半ば機械的に上へ上へと足を進めた。

上空を覆う木々が薄れ、僕は後ろを振り返った。木々をかすめて町の灯りが見渡せた。夜の暗闇の中に広がる光には、いつも不安とやすらぎとを感じる。家々の光、外灯の光、車の光。遠く雑多に重なり合った光は、そこに住む人々のささやかな想いや願いが、暗い夜の中に具現化されたかのように見えた。この静かな光の集まりに、戦争の光を感じることはできなかった。それはあまりにも静かで、穏やかな光の集まりだった。

道は稜線へと抜け、次第に緩やかになり、やがてちいさな広がりを持つ空間に達した。そこには、誰が安置したのか、五体ほどのお地蔵様が並んでいた。のざらしの仏たちは、半ば苔《こけ》むしながらも、いくつもの時代を超えて世界を半眼で見定めていた。僕は、何に、というわけでもなく、仏の一体に手を合わせた。かつて幾多の人々がここを訪れ、こうして手を合わせたであろうか。仏たちは、過去も現在も未来もなく、誰が手を合わせようと無関係と言うように、その微笑を「石のように」絶やさなかった。救いの手を差し伸べるでもなく、ただただ、ここを通り過ぎ手を合わせる者を、見届けていた。そう、そこに救いはなかった。

お地蔵様の背後から、また道は上方へと伸びていた。なおも登りつめると、やがてそのわずかなわだちすら斜面を覆った笹の中に消えてしまって、僕は懐中電灯を口にくわえると、両手で笹をかきわけながら斜面を登っていった。

笹の海原《うなばら》は、どこまでも続くかに思われた。半ば機械的に手足を動かしていた僕は、不意に夜露に濡れた笹の葉に足を取られ、重心を失って稜線からすべり落ちた。懐中電灯が手から離れる。僕は、漆黒の闇の中でどうなるかわからない根源的な恐怖にかられ、身体を胎児のように丸めた。

わき腹に大きな衝撃を受けた。木の根にしたたかに腰をぶつけて落下が止まったらしい。一拍の間をおいて、息のできないほどの苦痛が僕を襲った。それは自己の存在を否定したくなるほどの痛みだった。僕はうめき声をあげながら、全身を硬直させて、痛みに対抗した。

呼吸のわずかな動きにすら襲った痛みは、時の経過とともに、しだいに遠のいた。そして、ゆっくりと霧晴《きりば》れを思わせて痛みは引いていった。僕は何度も深呼吸をして、平静さを取り戻した。全身にじっとりと汗をかいていた。

幸い、懐中電灯は光を灯したまま、少し下のほうに転がっていた。僕はわき腹に刺激を与えないように、慎重に腕を伸ばして懐中電灯を手にした。そうしてリュックからタオルを取り出すと、土に汚れた手をぬぐい、顔を拭いた。タオルには血が残った。顔をさすると、すべり落ちたときにできたのか、右頰にすり傷ができていた。

よろよろと立ち上がり、今度は一歩一歩足場を確かめながら、慎重に登っていった。大きな一歩のたびごとに、わき腹に痛みがおとずれた。その痛みを感じながら、戦争の「痛み」を思う。傷を負う痛みを。愛する誰かを失う痛みを。

笹の海原は突然終わり、何の前触れもなく、硬い地面へと足を踏み入れた。道路だ。舗装されてはいないが、車でも通行可能な林道だった。僕が立っているのは、林道が稜線に合わせて大きくカーブした突端で、道はそこから右は上りに、そして左は下りになっていた。

僕は進むべき方向を見失った。車の男は「上へ登ればゴール」と言っていたが、果たしてここがゴールなのか？　ゴールであるとしても僕はここからどうすればいいのか？　リュックの中にしまいこんだ携帯電話を使うことは禁じられていたので、香西さんに判断を仰ぐこともできなかった。

だが、僕は迷わなかった。おそらく、この林道に出たことで、となり町の封鎖から脱出することはできたようだ。最悪の場合でも、このまま日の出を待って舞坂の町へと山を降りればいいのだ。

◇

それは突然だった。下りへと方向を定め、一歩を踏み出したその時、背後の林道の砂利道から、一台の車がフォグランプだけをつけて砂煙を上げながら駆け下りてきた。

とっさに身をよけた僕の真横で、車は急制動をかけ、止まった。山の中の砂利道にはそぐわぬ黒塗りの高級車だった。訪れた静けさの中で、高級車特有のエンジン音を響かせている。

　僕は敵か味方かを判断する間もなく、その場に無防備に立ち尽くした。気配をよみとる。戦争の気配。確かに感じ取れた。しかしこの感覚は。運転席のドアが開き、人影が近寄ってきた。闇夜で表情はわからなかったが、すぐにシルエットで誰かがわかった。香西さんだ。

「お疲れさまです。ご無事で何より」

　僕が車に近寄ると、後部座席の窓が開かれた。

「多少時間がかかったね。まあ、はじめてだからこんなものか。前に座りなさい」

　室長は簡潔に評価を告げると、窓を閉めた。言われるままに僕は助手席に座った。室長の横には補佐が座っており、陰気な顔で僕に向かって少しうなずいた。

「香西さん、この車は？」

「町長用の公用車だったのですが、町議会の財政改革専門委員会答申により、今年度限りで競売にかけられることになっています。ですからおそらく町としてこの車を使用するのは、今回が最後になると思います。今夜は一般の公用車では足回りに不安があったので、特別にこの車を借りてきました」

「かなり汚れてるけど」

「何度かとなり町との境界線を越えて、接触がありましたから」

いつもの鼠色のスーツの上に、「防災」の腕章をつけた作業着をはおった香西さんは、砂埃をあげて車を急発進させた。細い砂利道のカーブのままに、車はぎりぎりのラインを踏み越えんばかりの勢いで駆けた。

背後で携帯電話の呼び出し音が鳴った。室長の電話だ。

「ああ、はい。ふん、やりそうなことですね。ええ、予測の範囲内で。まあ、対処します。それでは」

室長は通話を終えると簡潔に告げた。

「香西、町長から。来るよ。正面。あと二分」

「はい」

そう答えて香西さんは、下り坂にもかかわらず、さらにアクセルを踏み込んでいった。

「何が来るの？」

香西さんは答えず、わき目もふらずに前方を注視していた。その固く結ばれた唇からそれ以上何かの言葉を引き出すことはできなかった。そうして長い二分間が過ぎた。

僕はヘッドライトの光芒を見据えながら、見えない何ものかの姿を見極めようとした。

山の峰を大きくまわったカーブの先。すさまじい勢いで車が突っ込んでいったその先。そこには確かに、「何か」があった。そのものは実体をつかませないままに、大きな戦争の「気配」を瞬時に衝撃の如くぶつけてきた。僕はシートの上で、遠心力にまけないように身構えたまま、眼を凝らした。

突然、視界は闇に包まれた。香西さんが予告なく車のライトを消したのだ。香西さんは躊躇することなく闇の中でアクセルを踏み込み、ハンドルを切った。何ものかの気配は、闇の中で一瞬の内に背後に消え去った。しかし、僕はその何ものかの存在感、根源的な部分に訴えかけてくる、「太刀打ちのできない巨大なる深淵」に、総毛立つような恐怖を感じた。

その一瞬を、僕は長く長く感じた。長く引き延ばされた時間の中で思いをめぐらした。

僕たちが戦争に反対できるかどうかの分岐点は、この「戦争に関する底知れない恐怖」を自分のものとして肌で知り、それを自分の言葉として語ることができるかどうかではないかと。スクリーンの向こうで起こっているのではない、現実の戦争の音を、光を、痛みを、気配を感じることができるかどうか。

後部座席では室長と室長補佐が、動じるふうもなく、議会対策について、二つの町の戦争事業への取り組み方のちがいについて、僕には理解できない議論を続けていた。

「やはりコンサルによって得手、不得手があると」

補佐の言葉には、暗い車内をさらに暗くするかのようなじめじめとした響きがあった。

「いろんな業界から進出してきてるからね。葬儀業界、測量業界、運輸業界、ちょっとでも重なる分野は手を伸ばしてるよ。こちらとしたら本業の片手間にやられちゃかなわんし、かといって業務登録業者であれば入札に参加させないわけにもいかんし」

室長は、おおげさにため息をついてみせた。

「まあ、うちレベルの町の戦争で受注したということは、今後のほかの戦争では有利に働くでしょうし、しかし明らかに家族経営の会社が、それは無理だろう、というような業務に、入札に参加したという実績取得のためだけに名乗りをあげてきますから」

「まあ、戦争関係の業務もこれから習熟化、体系化されていくだろうさ。今はまだ業界も手探り状態ってのは否めないよ」

「手探りといえば、マッピングについては、業者側のシステムには問題はなく、むしろ役場内の問題が」

「ああ、資産税が課税情報だってごねてるからね。まあ、戦況把握のシステムにはそこまで正確な基図は必要ないからね」

「とりあえず今回は水道台帳でいこうということで、明日水道局に交渉を」

「ああそうか、それは私も行こう」

「恐れ入ります」

危機を脱したのか、香西さんはライトをつけ、速度をやや落とした。香西さんの横顔を見た。緊張で顔をひきしめていたが、ちらりと僕の方を見ると、緊張を解くように、口をすぼめて、ふうっと息を吐いた。

「傷ができてますよ。大丈夫ですか？」

香西さんは、僕の右頬にできた傷を見ていた。

「ああ、転んだだけだから。香西さん、話をしても大丈夫？」

「ええ、いいですよ」

「となり町との接触があったっていってたけど」

「ええ」

「となり町にこの車で侵入したってこと？」

香西さんは、室長の方を気にするような様子であったが、小さな声で僕に言った。

「室長が少し気になることがあるというものですから、いくつかの戦域に町境を越えて踏み込みました」

「気になることって？」

「あぁ、そういえば、きみ、ええっと」

室長が不意に呼びかけて僕の質問は中断された。室長は、どうやら僕の名前を忘れてしまったらしい。

「車乗ってクリーンセンター行ったでしょ？　どうだった？」

「クリーンセンター？」意味がわからず繰り返した。

「ごみ焼却場のことです」

香西さんが助け船を出した。それを聞いて僕は思い当たった。絶えずモーターのような響きに包まれたあの場所。僕がかいだかすかな異臭、あれは生ごみのにおいだったのだ。

「ああ、あそこが」

「あなたの乗った車、荷物をそこで降ろしたよね。全部でいくつあった？」

「あ、たしか五つだったと」

「ン、五つ……、そんなものかな」

室長はひとりごちた。それをきいて補佐が納得したというような声で言った。

「そういえば、今回はとなり町は清掃業界で」

「まあうちに以前プレゼンに来た時は大層なこと言ってたが、手際的にはこれから見極めないと。町長の耳には入ってる？」

「おそらく」抑揚のない声で補佐が答える。

「あの人もいい歳して新しモノ好きだから、いろいろ聞いてくるかもしれんな。あ、ありがと。参考になった」

おざなりに礼を言って、室長はまた補佐との会話に戻った。

◇

香西さんは、舞坂町ととなり町の背後に、扇のように広がった山を越えて向こうの町へと降りると、山裾を大きく迂回して舞坂の町へと戻った。長かった一夜もようやく終焉《しゅうえん》を迎え、東の空に、青黒き黎明《れいめい》が訪れようとしていた。

やがて車は役場へとたどり着き、香西さんは、あの辞令交付の夜のように車を横付けにした。役場は全階にあかりが灯り、早朝にもかかわらず多くの職員が昨夜から引き続いて勤務を続けているようだった。

「ありがとうございました。なんとか危機は脱したようです。始発のバスが五時四十五分に役場前を通ります。その時間には封鎖も解除されていますから、すみませんがバスでお戻りください」

香西さんは、ファイルを受け取りながらゆっくりとお辞儀をして、僕を見た。朝の光にその眼は細められ、またいつもの穏やかさが湛えられていた。そして、一つの「戦い」を終えたやすらぎと、何か不安なかげりが見えた。だがそれも一瞬で、香西さんは、先に役場に入った室長たちを追うように立ち去った。僕は一人役場の前に立ちつくした。雀が鳴き、朝日が斜めにさしこむ、いつもと同じのどかな冬の朝だった。でもそれは「戦時中の雀」であり、「戦時中の朝日」なのだ。そう思うと、異質な響きと輝きを帯びて見えた。といってもそれは「戦争を称える唄」でもなく、「戦意を鼓舞する光」でもなかった。ほんの少しだけずれているのに、何がずれているのかわからない。そんな違和感が僕を常ならぬ思いに導こうとしていた。

始発のバスに乗って、僕はようやくアパートにたどりついた。ゆっくりと鍵を開け、ドアを開けた。香西さんによると、確実にこの部屋は調査の名のもとに公社の人間が侵入したということだったが、そんな気配は感じられなかった。部屋の中は、僕が出た時と寸分違わぬ配置と空気をとどめていた。僕は、玄関に立ったまま、ある種の無力感に襲われた。もしかしたら、僕がこうやって一晩かけて逃げ回っていたことには、何も意味がなかったのではないのか？　この部屋で安らかに眠っていても何事もない朝を迎えたのではないか。

僕は香西さんの部屋に入り、香西さんから渡された緑のダミーファイルを机の上に戻した。積まれた書類の中に、香西さんが毎週律儀に記載していた〔業務分担表〕を見つけた。僕は三枚目の〔業務分担表〕を見た。二人で業務分担を決める時に、香西さんが、自分で書くからといって僕に見せなかった部分だ。躊躇より好奇心がまさり、その内容を見た。「性的な欲求処理に関する業務」という項目があり、主務者は香西さんに◎がついており、僕には補助従事者の○がついていた。ちなみに業務回数は週に一回だ。どうやら、香西さんは、この〔業務分担表〕にもとづいて僕の部屋を訪れていたようだ。

思い返してみると、香西さんが夜、僕の部屋に姿を見せたのは、ちょうど一週間に一度だったような気がする。香西さんは、律儀にこの〔業務分担表〕に従い、「業務」を遂行していたのだ。僕は、無言のまま暗闇の中で動く白い肌を思い返してみた。でもそれは、なんだか自分の身におこっていたことではないようだった。不思議に、哀しみとか、そうした一切のそれにまつわる感情を持ち得なかった。戦争ってのは……、戦争ってのはこうやって僕からいろんな感情を奪っていくものなのか。

香西さんの部屋を出て、僕は腰にできた大きなあざに湿布を貼り、頬のすり傷を消毒した。それだけを終えると、徹夜明けということもあって、半ば放心したような気持ちでリビングの陽のあたる場所に座り込んだ。出勤の準備をするには少し早く、かといって一眠りするほどの余裕はないという中途半端な時間だった。冬の光と、冬の雀が朝の気配を満たしていた。役場の前で感じたように、僕はその光と鳴き声に、何かが一枚挟まったような微妙なズレを感じた。

ふっと気づく。この「ズレ」は、先ほど役場の前で感じたものとは質の違う、ある現実性を帯びたものなのだと。

窓際の「闘争心育成樹」がなくなっているのだ。昨夜香西さんから電話を受ける直前に水をやっていたので、机の上にじょうろはあったが、その横にあるべき鉢植えはなくなっていた。

「査察、で、持っていかれたのか？」

理解できないままつぶやいた。あんな鉢植えを持っていって、いったい何の意味があるのだろうか？

◇

徹夜明けとはいうものの、査察の緊張感が持続していた僕は、さほど眠気を感じないまま会社に向かった。始業前の会社は、朝イチのアポイントメントのない社員たちが、窓から陽が射し込む場所に陣取って、たわいもない話題に花を咲かせている。いつもどおりの冬の朝の穏やかさに満ちていた。その日の話題の中心は、盲腸の手術で今日から急に入院してしまった同僚のことで、話は次第に「今までで一番痛かった経験」談義になった。

　そんな会話に笑って参加しつつも僕は、主任の方が気になって、ちらちらと盗み見ていた。昨夜の、あの「声」の主が主任であるとしたら、なんらかの、人を殺した後の雰囲気を残しているのだろうか？

　僕は、それとなく主任に近づいた。主任はいつもと変わったそぶりもなく、少し離れた自分の席で、椅子の上で器用にあぐらをかき、背筋をぴしりと伸ばして、机に広げた新聞に眼を落としていた。そうして、これもまたいつものように、からの湯のみを中空に差し出して、「本田さん」がお茶をついでくれるのを飽くことなく待っていた。

　特大急須を持った「本田さん」は、そんな主任をうんざりしたような表情でながめながら、「はあいはあい、ちょっと待っててくださいよお」と、多少棘《とげ》を含んだ声を出し、主任は、意に介さない声で「待ちますよお、いつまでも」と言いながら、新聞に眼を落としたままの恰好で湯のみを差し出し続ける。

　いつもどおりの日常だった。まるで、「いつもどおりの日常」というストーリーを忠実になぞっているかのような「日常」だった。僕にとっては「戦争の合間の日常」であるが、主任にとっては「戦争すらも日常の延長」であるというかのようだった。

「おっはよお、なあにその傷？　オンナノコにひっぱたかれたあ？」

お茶をついだ「本田さん」は、僕の頬に残った傷をぴたぴたと叩くと、でっぷりとした尻をはちきれそうになった事務服のスカートの下でぷりぷりと揺らしながら、給湯室へともどっていった。

「主任の、痛かった経験って、どんなのがありますか？」ようやくありついたお茶を飲んでいた主任は、ほ？　という表情で湯のみを置き、冬はマフラーがわりにいつも首に巻いている白いタオルをはずして、作業服の左肩をはだけた。ちょうど鎖骨の下に、肉の盛り上がった引きつれたような傷があった。

「弾は貫通したからよかったですが、この時も、ずいぶん痛くてころげまわったですよお。でも、もうすっかり忘れてしまったですなあ。身体の痛みというのはですなあ、再現できんのですよお、ああやって」

主任は、同僚たちの方をあごでしゃくった。痛み談義はまだ続いており、いくつかの候補があいついであげられたのち、最終的には「痔の痛み」と「結石」が痛みの両横綱として認定されていた。

「どんなに痛くても、後になれば笑い話になってしまいますからなあ」

そう言って傷をしまうと、主任はまた湯のみを両手で抱え込むようにしてお茶をすすった。僕はわき腹に手をやった。肌には大きな青いあざが残っており、服の上から触ると、鈍痛でそれと知れた。だがもうあの時の痛み、自己の存在をのろいたくなるような痛みは思い出せなかった。

主任は、その時はじめて気がついたというように、隣に立つ僕の顔を見上げた。

「あなた、血の匂いがしますなあ」

「ああ、ちょっと転んですりむいたんで」

僕は頬のすり傷を押さえながらそう応えた。それは「血の匂い」がするほどたいした傷ではなかった。

「いやいや、そういうことではなくてですなあ」

主任は、ぎょろりとした眼で僕を凝視し、何かをおしはかるように僕の全身を見やったが、それ以上言葉を続けることはなかった。両手で机をつかんで反動をつけると、あぐらをかいたまままうまい具合に椅子を半回転させて、窓の方へ向き直った。

「まあ、もちろん。身体の痛みじゃない、忘れられん痛みというのもあるですが」

主任は、背もたれにもたれて、胸のあたりに手を置いた。さっき僕に見せた傷跡を押さえているわけではないようだった。

「そんな痛みは、だいじにとっとかんといかんですなあ」

僕は、主任をまねて胸に手を置いて思う。僕にとっての「戦争の痛み」を。でもそれは無駄なことだった。戦争がわからない僕には、戦争の痛みもまたわかるわけはないのだ。

◇

その日の午後、さすがに眠けと闘いながらも、いくつかの会社を営業まわりし、最後にとなり町の町立病院に注文された品を納めた。僕の担当区域ではなかったが、今日から盲腸で入院してしまった同僚の担当区域を、入院中は他の社員で分担して担当することになり、割り振られたのがこの病院だった。納品を終え、空の段ボールを抱えて帰ろうとしたとき、正面玄関に、昨夜香西さんが僕を迎えに来た時と同じような、黒塗りの高級車が止まっているのに気づいた。もっともこちらは、昨夜の泥まみれの舞坂の公用車とは違って、曇りひとつなく磨きあげられていたが。

背後のロビーで、「町長！」と呼び止める声が聞こえ、思わず僕は振り返った。呼びかけたのは白衣を着た中年の男で、その声に、取り巻きに囲まれた長身の男が振り返り、親しさを装った挨拶をかわしていた。どうやら長身の男が、このとなり町の町長らしい。

となり町の町長は、年齢で言えば五十代半ばくらいだろうか。紺色の、地味ではあるが金のかかったスーツに、特殊な場所での特殊な飲食により特殊な贅肉のついた身体をつつみ、その上には脂ぎった表情とポマードで塗りあげた頭。一言で表現するならば、「野心に満ち満ちた、腹に一物ありそうな」人物であった。彼は、周囲の注目を充分に理解し、ぬかりなくお辞儀をしていた。お辞儀をするたびに、尊大さが増幅しているように見えてならなかった。

病院から車を出そうとすると、ちょうど町長の乗る黒塗りの高級車も出るところで、僕は後を追うような恰好になった。病院の前の道路は、交通量もたいしてないのに片側二車線の道路で、次の信号で左折をする僕は、中央の車線を行く町長の車と並走した。信号のない横断歩道があり、対岸の歩道に、幾人かの歩行者の姿を見て、僕の車と町長の車は同時に速度を落とし、停止線で並んで止まった。

歩行者は、ゆっくりとしたスピードで横断歩道を渡った。僕は彼らを見て、ふと何か常ならぬものを感じた。それはパジャマ姿の、十人ほどの集団だった。もちろん病院の前なのだから、パジャマ姿の病人やけが人を見るのは当然のことだ。僕が異様に思ったのは、そんなことではなかった。

一様に、身体の一部が欠落していたのだ。右腕の肘から先がない者。腿のあたりで左下肢を切断し、松葉杖をつく者。右の手足が共にない者。彼らは欠落した部分に白々とした包帯を巻き、欠落をより際立たせていた。「あるべきものがない」が故の、圧倒的な「存在感」。包帯が、清潔な白ゆえに、その奥に隠された「血の匂い」を際立たせていた。僕はその匂いすらかいだ気がした。

彼らは、互いに話もせず、無表情なままに、松葉杖をつく者の歩みにあわせて、一歩一歩、横断歩道を渡っていた。それは何らかの特殊な儀式の行進を思わせて、日常と異なる空間をつくり出していた。

彼らは、町長の乗る黒塗りの高級車に気づくと、一様に立ち止まり、無表情なままに車の中を見やった。僕も、つられるように町長の乗った車を見た。後部座席の窓ガラスには黒いスモークが入っており、町長の表情を知るすべはなかった。

手足を失った者たちが横断歩道を渡り終えると、黒塗りの高級車は、何事もなかったかのように速度を上げ、走り去った。僕は、後続車からクラクションを鳴らされるまで、その場を動けずにいた。

◇

近くの公園脇の道路に車を止め、自動販売機でブラックコーヒーを買い、公園のベンチに座った。神社の境内でもあるその公園にはイチョウの古木があり、落葉が地面をまばらな山吹色にしていた。近くの小学校の通学路になっているのか、時折子ども達が小さな足で落ち葉を舞い上げながら僕の前を通り過ぎていった。

一群の子ども達が、何かから逃げるように公園に駆け込んでくると、僕の前で立ち止まって後ろをうかがっていた。その表情から、何をしているのかがすぐにわかった。僕にも経験がある。友達の一人を仲間外れにして、その子に追いつかれないように逃げているのだ。僕は公園の入口を見やった。案に違わずそこには、取り残された一人の男の子が、この世のすべての理不尽と対峙するかのように、小さな身体を仁王立ちさせていた。男の子は、顔を紅潮させて叫んだ。

「できるもんっ！」

子ども達は、彼の悲痛な主張には耳を貸さず、目配せをしあうと、声をそろえて挑発するように叫び返した。

「よわむしー！　よーわーむーしー！」

そう言うと子ども達は、後は振り返らずに公園を駆け抜けていった。

残された男の子は、追いかけようとしてそれも果たさず、一人ぼっちの世界で、虚空を震わすコトバを発した。

「ぼくだって死ねるもんっ！」

その声は、冬の乾いた大気に亀裂を生じさせるかのように、悲痛であった。男の子はようやく僕に気づき、涙のにじんだ眼を僕に強く差し向けると、見えざる敵に向かうかのように走り去った。

男の子の強い瞳と走り去る姿は、あの説明会の時の、コートの男を思い出させた。

正義感に満ちた彼は、もう戦闘に参加しているだろうか。銃を片手に、彼にとっての敵を見つけ、突撃しているのであろうか。

「ぼくだって死ねるもんっ！」

そのコトバは、僕の中で繰り返し響いた。ブラックコーヒーは、思った以上に苦く喉をすべった。

第5章　戦争の終わり

年末を迎えた。香西さんも僕も、十二月二十九日からが年末年始の休暇だった。休みの初日は、二人で分室の大掃除をした。ここに越してきてまだ二ヶ月ほどではあったが、香西さんはいつも夜遅く、僕も年末は仕事が遅くなりがちだったので、最近は掃除もとどこおり、部屋の中も、二人の荷物でだいぶ手狭になっていた。それで、この機会に片付けることにしたのだ。

「香西さんは、年末年始は実家に帰らなくていいの?」

僕は台所のフローリングにワックスをかけながら、リビングで窓を磨いている香西さんに声をかけた。ボーダーのパーカーに、生成《きな》り色のパンツという軽快ないでたちの香西さんは、冬の光を浴びながらこたえた。

「年末年始は、戦闘自体はもちろんお休みになるんですが、偵察業務自体は継続しているから私は帰れないんですよ。もちろん特別勤務手当が支給されていますけど」

香西さんは手を止めて晴れた空を見上げた。下ろした髪の先々に、陽光が散った。

「それに、帰っても……」

そのまま語尾を穏やかな光の中に昇華させたかのように空を見つめている。僕はワックスがけの手を止めて香西さんのいる窓際に座った。

「じゃあ、年末年始は、戦争も一時休戦みたいになってるの？　例えばそんな時に、どちらかの町が奇襲攻撃みたいに相手の町に攻め込むことはできないの？」

「それは、現実的に無理ですね。今の時代はやはり地域住民の意向を無視しては戦争や工事はできないんですよ。五時に終わる工事が六時に延びただけで役場に苦情がくるくらいですから。それに戦闘の場所や時間に関しては、まず委託しているコンサルティング会社がいくつかの案を作成し、それを元に戦争推進室で協議。その後文書として起案して、室長、助役、町長と決裁を取るのに最短で十日ほどかかります。法律上の文言に関わってくる場合はさらにその間に文書審査もありますから、もっと時間がかかります。ですから、例えば、相手の町が今ここの兵備が手薄であるとわかっても、じゃあすぐにそこを攻撃する、っていう対応は不可能ですね」

「めんどくさいんだね」

「そうですね、でも、そうしたキチンとした手続きを踏んで行わないと、戦争ではなく、殺人としての扱いになってしまいますから」

「じゃあ、戦争での殺人は殺人としてはあつかわれないんだ」

僕は香西さんにたずねるでもなく、言葉を大気の中に押し出した。「命の尊さ」というものが、戦争という条件をかぶせられることによって、いとも簡単に切り替えられるという仕組みがうまくわからなかった。「人の死」はいつ、いかなる時であっても「人の死」であり、「殺人」はどんなに言い換えようとも「殺人」でしかないのでではないか？

香西さんは、僕のそんなわだかまりを思ってか、「ちょっと休憩しましょうか」と言ってキッチンに向かい、やがて二つのカップにココアを作って戻ってきた。僕たちは窓際にならんで座り、ココアを飲んだ。甘くあたたかな匂いが、陽射しの中にただよった。

香西さんは、立てた両膝の上にカップを抱え込んで、晴れた冬の高空を見上げながら思いの中を漂っていた。最近はこの分室にいるときも、そんな風になにか透明な壁の向こうにいるようなときがあった。これといった違いがあるわけではなかった。ただ僕は、香西さんはいつものおだやかな表情と、所々に潤いを含ませた静かな口調と、躍動と静謐《せいひつ》とを振り分けて采配するかのような動きのなかに、本人すらわからないままに何かに侵食されているような気配を感じていたのだ。冬の夜の雪が気付かれぬままにひっそりと降り積もるように。

僕にはその音もなく降り積もるものを見分けることはできなかったし、降り積もったものをはらってやることもできなかった。

そうして僕と香西さんは、年末年始を穏やかに過ごした。二人で買出しをして、ちょっとしたおせち料理を作り、年越しそばを食べて、初詣をして。戦争が一時中断していることもあって、本当に、安らかな日々だった。初詣の帰り、お正月の、車の通りの少ない路地で、僕と香西さんは、背後からの早い落日に伸びる影を追って歩く。

「香西さん」

「はい」

僕は香西さんの影に向かってたずねる。

香西さんが僕の影に向かってこたえる。

「何をお願いしていたの？」

小さな神社で、お賽銭を入れた香西さんは、手を合わせて、長い間動こうとしなかった。

「ん……、普通のことですよ。家族のこととか、今年一年穏やかにすごせますように、って」

香西さんは、コトバの中に何ものをも含ませないさりげなさでそう答えた。

僕と香西さんの影は、寄り添うでもなく、離れるでもない、微妙な位置関係を保ったまま、少しずつ背丈をのばしていった。僕は、その影の姿に固定されてしまったかのように、それ以上香西さんへと踏み込むことはできなかった。

もちろん書類上は夫婦であるが、何だか僕と香西さんの関係は、僕から言えば香西さんは死んだ兄貴の奥さん、香西さんの側から言えば、僕は死んだご主人の弟というような「つながりかた」を思わせた。つまり、香西さんと僕は「何らかの死者の影を介在して」つながっているのだ。僕は二人を「つなげる」、実際には存在しない「死んでしまった兄貴」を思う。きっと彼は戦争で死んでしまったのだ。僕たちは、その思い出の上だけに同じ一歩をしるすことができるのだろう。

◇

年始の休暇の最後の日。香西さんと二人でドライブにでかけた。香西さんは、初めて腕を組んで歩いたあの日のように、髪をおろして薄い化粧をし、柔らかな衣服に身を包んで、いつになく表情をなごませていた。初夏に咲く花を思わせる香水が、香西さんの動きにあわせてひそやかに匂った。

「ねえ、香西さん」

僕は運転をしながら、問いかけた。

「何でしょう?」

「これは業務のうちじゃないよね」

「え?」

「いや、何でもないよ」

窓の外に広がる冬枯れた風景の中で香西さんは、外の景色を眺めていた遠い表情のままで僕を見ていた。僕はしばらく視線を感じていた。あいかわらず、香西さんはこちらを向いていて、その焦点は僕に定まっているのに、僕はそこに存在しないかのようだった。

僕たちは、山の中をドライブしていた。目的もなく、というわけではなかった。僕たちは、ある場所を探していた。ゆるやかに蛇行した登り坂が続き、登りきったところで、道路は森を突き抜ける高低差のある直線道路になった。いくつかの上り下りを繰り返し、道が平坦になったところで、くずれかけた案内標示を眼にした。あまりにも人の眼をひくことを拒絶した標示だったので、あっという間にそこにあったわずかな駐車場らしきスペースを通り過ぎてしまったくらいだった。

僕はバックミラーで後続車がないのを確認すると、そのまま車をバックさせ、駐車場に車を入れた。訪れる車もあまりないらしく、落ち葉が排水溝に堆《うずたか》くたまっていた。

錆びた案内標示には、「鎮魂の森」と書いてあるだけで、その由来については一切記されていなかった。

「入ってみましょうか」

香西さんはそう言って膝の上に置いていた萌黄色の薄手のマフラーをきゅっと首に巻いた。車を降り、後部座席から白いダッフルコートを取り、なぜだか慎重な面持ちで着込むと、僕に「行きましょう」と視線で伝えた。

森の中へは、一本の小路が続いていた。僕は小路に入る前に森を見上げた。それは確かに「闘争心育成樹」の大きくなった姿だった。僕は、あの苗木がここまで大きくなる歳月の長さを思った。

小路の奥は、予想していた以上に深い森だった。木々は、同じ時期に植えられたというわけではないのか、幹の太さや大きさもまちまちだった。

見上げた天空は、木々の葉で覆われ、わずかな風に一群となってざざ、と葉影が流れていった。風が止むと、森は太古の静寂に満たされた。

「静か、ですね」

香西さんも上空を見上げる。小路はいくつかの分岐を持ち、僕と香西さんは、どちらへ向かうという意思もなく、森の奥へと歩いた。

「そういえば、この前公社の査察から逃げた時、佐々木さんっていう人に助けられたけど、あの人は確か、闘争心育成樹を買ったお店にいた人だよね」

ちょっとした段差があったので、僕が先に登り、香西さんに手を差し伸べ、引っ張りあげながらたずねた。

「あぁ、気付いてましたか。あの方も基本的にはあなたと同じ立場なんですよ」

香西さんは、ふうっと息を継ぐ。

「同じ立場、って？」

僕は再び香西さんと並んで歩く。

「あなたは、今は拠点偵察業務従事者という肩書きですが、あの方、佐々木さんは敵地潜入員という肩書きで戦争に関する調査を担ってもらっています。一般的な言い方をすれば、スパイってことですね」

「でも、あの佐々木さんはもうずっととなり町に住んでいるんじゃないの？　家もあったし、昔からとなり町に住んでるような口ぶりだったけど？」

「そうですね、佐々木さんがとなり町に潜入したのは、もう二十年くらい前だったと思いますけど」

「ということは、そんなに前からとなり町との戦争は計画されていたっていうことなの？」

「例えば、今舞坂町に国道のバイパスが建設されていますけど、あの道路も、計画自体は四十年前からあるんですよ。こうした事業は、計画にもとづいて実施計画、事業計画が決定し、事業認可を受けて地元説明、用地交渉という長いスパンで実施されていきます。戦争も同様で、今、町は第七次五ヶ年計画に基づいて事業を展開していますが、戦争の計画自体は第三次五ヶ年計画から立案されていたと思います。それにもとづいて若干ではありましたが、調査費という名目で戦費が予算計上されていましたので、佐々木さんにああいう活動をしてもらっていたということです」

「予算にあがっていたってことは、もちろん一般の人にも、それからとなり町にも、舞坂町に戦争をする意志があるってことが、明らかだったってことだよね」

僕は、予算書の中でそうした「戦争の意志」を公にする、ということに違和感があって疑問をぶつけた。普通そんなのは秘密裏にすることじゃないのか？

「そうですね、予算の費目については公開されていますから。それはとなり町も同様で、戦争計画自体は確かとなり町の方が先にあったと思います。二つの町がどちらも戦争計画を立案したことに伴い、十五年ほど前には、協力して戦争事業を遂行していこうという協定書が結ばれ、両町職員による定期的な勉強会も開催されていました」

僕はもう質問すべき言葉を持たず、森の奥へ黙って歩いた。戦争とは「互いに敵対し、殺しあう」ことではないのか？　それがどうして「協力して戦争事業を遂行」というコトバに置き換えられるんだろう？

気が付くと、一人で歩いていた。振り向くと、香西さんの姿はなかった。まるで最初から僕一人でこの森を歩いているみたいだった。

「香西さん？」

誰もいない森に向かって呼びかける。その声は、樹々に吸い込まれていくかのように、ほんの一時《ひととき》空間を震わせたが、また静寂が舞い降りた。僕は誰もいない空間で香西さんを呼びつづけた。

そう、香西さんが僕を見ていても、僕が見えていないように感じるように、逆に僕自身も、香西さんを見ていながら、彼女の姿が見えていないのかもしれない。

「香西さん」

もう一度呼んだ。少し離れた巨木の陰から、香西さんが姿を現した。木洩れ日の中に立ち止まり、その姿を凛《りん》と際立たせた。香西さんは、光を見上げて眼を細める。そしてそのまま眼を閉じた。祈るような時間が流れた。

◇

夢を見ていた。さまざまな、戦争にまつわる夢だ。そこには光があり、音があり、響きがあった。僕は夢の中と知らず、ひたすらに、何かを目指して歩いていた。目指すものが何であるかは判然としなかったが、僕は「何かを目指すこと」を目的化して、ただひたすらに、「次の一歩につなげるための一歩」を、大地へ刻みこむように歩いた。右足の一歩は、次に左足を一歩出すためだけにその意義を持ち、左足の一歩は更なる右足の一歩を導き出すためだけにその存在理由を持っていた。

僕は、うつむいて、自分の靴が踏みしめるその先の地面を見つめて歩いていた。地面は時に砂漠であり、またぬかるんだ泥沼であり、肥沃《ひよく》な大地であり、草原であった。一歩踏み出すごとに、僕を取り巻く世界は彩りを変じ、僕の足元の世界で、戦争の光と、音と、響きが、遠く、近く、僕を包んだ。

僕は、いつしか暗渠の中にいた。暗渠は、圧倒的な闇の力とその閉鎖性によって、僕の、先へと進む一歩を封じようとしていた。だが、不思議に、恐れも不安もなかった。何故だか、その先に光があることを知っていたからだ。眼を開けているのか閉じているのかもわからないような暗闇の中で、はっきりと、戦争のうごめく影を感じた。それは、リアルだった。触ってその形を表出できるほどのリアルを、感じ取ることができた。そう、僕はようやく感じ取ることができたのだ、戦争の影を。

そのとき、光が徐々にさし込んできた。僕はあやまたず、光の源へと歩を進めていた。明るさを増す暗渠を、僕は歩き続けた。

気がつくと、海に浮かんでいた。光は天空の中央にあり、僕は光に包まれたまま浮遊していた。浮遊感は、解放の心地よさとともに、つかみ所のない不安を与えた。僕はあお向けのまま四肢を伸ばした。そこに世界はなかった。僕は、何もない空間に浮かんでいた。さっきまであれほどリアルに思えていた「戦争の影」がいつの間にか、あざ笑うかのように彼方へと消え去っていた。また戦争の光も、音も、響きも失われていた。僕は、海の中にゆっくりと沈みこむ。おぼれるように。海の水に覆われ、その水を口に含んだ。海の匂いも、味もない、リアリティのない海だった。そして自分が夢の中にいることを理解した。

僕はゆっくりと、眠りと覚醒の狭間《はざま》を、波のままに漂い、そして最後の大きな呼吸とともに、浜辺に打ち寄せられるかのように、覚醒の砂浜へと打ち上げられた。

僕は目覚めたわけを知っていた。

カーテンを閉めていない月明かりの中、香西さんは白いワンピース姿で立っていた。まるで、自己の内側から光を発しているかのようにその姿を際立たせていた。それはそのまま、「鎮魂の森」で光に包まれて立っていた姿に重なった。

僕がベッドの上で半身を起こすと、香西さんは、その波動をうけたかのようにゆりと身体をゆらし、やがて波動のおさまりを見定めるかのようにワンピースのボタンを一つずつはずしていった。その顔はずっと、開けたままのカーテンの外の世界に向けられていた。香西さんがボタンをはずす動作は、まるで〔業務分担表〕のチェックをしているかのように、律儀で、そして確かだった。

すべてのボタンをはずし終えると、香西さんは、肩を抱くような動作で、ワンピースをするりと脱ぎ落とした。その下には何も身に着けていなかった。香西さんの身体は、そのなめらかな起伏のままに月の光に陰影を施され、まるで、廃墟に置き去りにされた彫像のようだった。

僕が衣服を脱ぎ終えると、香西さんはいつものように、音もなく、声もなく近づき、そして静かな、静かな口づけをした。冷たい唇が僕に触れた。それは遠くまたたく光を思わせる冷たさだった。僕はその遠さを思った。

香西さんが、僕の上でゆっくりとその身を動かした。まるで、唄いかけの唄の一節をふたたび紡ぎだすかのように、ゆっくりと、そして想いに満ちた動きだった。僕は香西さんのわずかな重みを受け止めながら、眼を閉じて、その聞こえない唄を思い出そうとした。その唄は、弱い星の瞬きのように、そこに意識をあわせるほど、輪郭をおぼろに変じた。

そして僕は、雫《しずく》の落ちる音を聞いた。

香西さんは、声もなく、音もなく、そして感情すらなく、泣いていた。僕の腹部に、涙の雫が落ちた。一滴一滴が、この戦争の日々をよみがえらせた。広報紙での開戦のお知らせ。変わらぬ日常。戦死者という事実。偵察業務。分室での勤務。香西さんとの戦争についての会話。説明会。そして査察の夜。僕が戦争の気配を感じられないままに過ごしてきたこの日々が、よみがえっては消えていった。

僕はゆっくりと眼を開いた。香西さんは、僕の上で窓に顔を向け、その眼を開いたままで、涙を落としていた。僕は無言で身体を起こし、位置を入れ替わった。香西さんは確かな重みを僕の腕にあずけてベッドに横たわった。香西さんは、腕の中で眼を閉じていた。その閉じた眼からは、なおもあふれるものがあった。僕は香西さんに口づけた。唇は、変わらず冷たかった。口づけたまま、その唇は、何かを語るように、唄うように、動かされた。誰に向けられたものかはわからなかった。香西さんは、僕ではない誰かに向けて、何かを告げようとしていた。

香西さんとふたたび繫がった。僕は、浮遊感の中にいた。香西さんと繫がっていながら、何ものにも支えられ得ない、つかみ所のなさを味わっていた。眼を閉じる。僕は今も、たった一人で海の上にいた。茫漠とひろがる大洋の只中で、無辺にひろがる世界を抱いていた。香西さんは、眼の前にいるのに、その姿を見ることはできなかった。

「僕の眼に見えるもの、見えないもの」に想いをはせた。香西さんが涙を流しているその「何か」を見極めようとした。香西さんも、今この戦争の中で何かを失おうとしているのかもしれない。僕は香西さんの、「失われゆくものに流された涙」をそっと口にふくんだ。夢の中の海の水とは違い、それはきちんと涙の味として、僕の一部となった。その涙の味だけが、今の僕にとってのリアルだった。

それからの僕の生活には、もう何も起こらなかった。少なくとも「僕に見える形では」という意味でだ。僕はもう、自分が何かにまきこまれているのか、まきこまれていることがわからないのか、それすらもわからなかった。姿も形も見えないまま、ただ確実に人が死んでいっている。こんな静かな、というより夢魔のごとくに実体のない、いつのまにか僕を包み込んだ戦争について、もう何も考えることなく、日々を僕の上に流していった。

◇

その日はいつものように車で会社へと向かっていた。何も変わらない、いつも車で通っている国道。つけっぱなしのラジオからは、今年の鶴の飛来状況や、ハンバーガーショップに新登場した、どう考えてもミスマッチとしか思えない新メニュー、今日の僕の運勢が「洪水に注意」であることなどが、誰へ、という方向性を持たずに流れてきた。

前を行く車との車間が徐々に詰まってきたのを感じ、速度を落とした。やがて前方に渋滞した車の列が見え、僕の車は完全に止まり、渋滞の最後尾となった。直線道路なので、五台ほど先の車までは見通せたが、その前に大型トラックが並んでいるため、それ以上前方の確認はできなかった。この場所で渋滞を経験したことはかつて一度もなかった。信号のあるような場所ではないし、工事をやっているような看板も見なかった。考えられるとしたら、事故か、あるいは戦争の影響なのか。迂回する道がないわけでもなかったが、さいわい時間の余裕はあったので、渋滞が何によって引き起こされているのかを知りたくなり、しばらくこの渋滞に付き合ってみることにした。

動きのない車の中で、あの日、九月一日の開戦の日のことを思いだした。戦争の始まりということでなにがしかの影響があるかと思い、いつもより早く家を出たのだった。だが、予想に反して、通勤の妨げになるようなものは何もなく、拍子抜けしたような思いでこの道を走っていたのだ。そして僕は思う。この戦争の始まりと終わりを。この戦争の始まりを感じ取れなかった僕には、また戦争の終わりを感じ取ることもできないのだろうかと。

僕の車は、渋滞の中でしばらく徐行と停止を繰り返した。前の車との間に一台分ほどのスペースが空き、僕はその距離を堪能するように、ゆっくりと車を動かし、静かになめらかに車を停止させ、また次の移動を待つ。

ラジオは、時報に続いて五分間の地元ニュースの時間になった。いつもと同じ、若い女性アナウンサーが、いくつかのニュースに続いて、久々に通り魔殺人事件の情報を、抑揚のない声で告げた。

「捜査本部によりますと、犯人と思われる男からの電話は、二日前の夜に捜査本部にかかってきており、凶器を捨てた場所だけを告げて切られたとのことです。捜査本部はこの電話の男の告げた三輪山麓の森林を捜索、凶器と思われる刃物を発見しました。捜査本部では、この電話の男が犯人である可能性が高いと見て、凶器と、電話の声の両面から、捜査を強化する方針です」

やがて、前の車との間隔があき、僕はいつでも止まれる速度で徐行した。しかし、前の車はそのまま動きつづけ、速度を落とすことはなかった。僕は「渋滞の終わり」を感じ、周囲の風景に「渋滞の原因」を求めた。その場所は、僕の働く都市の郊外で、周囲はこの地方特有の苺《いちご》栽培用のハウスがならんでいて、いつものようにハウスのビニールが朝の光をその表面に拡散させて輝いていた。周囲には、信号もなく、工事もなかった。事故を起こした車が止まっているわけでもなく、そしてもちろん、戦争による影響もなかった。

この渋滞は、何もないところで始まり、そして何もないところで終わっていた。前後の車も、まるで今そこに渋滞があったことすら忘れたかのように、いつもの朝の速度を取り戻した。何も変わらないままにいつもの日常が戻ってきた。

僕にとっての「戦争の終わり」も、まさにそんな感じだった。香西さんからのその電話は、職場へとかかってきた。

「戦争が終わりました」

香西さんの言葉で、僕ははじめて戦争の終結を知った。

「より正確に言うならば、となり町との戦闘状態が終息しました。公的に戦争の終結、武装解除申請が受理されるのは予定通り、年度末の三月三十一日ですが」

「それで、どっちの町が勝ったんですか？」

当然の疑問だったが、かえってきた言葉は、予想していたものとは違っていた。

「確かに二つの町は、お互いを敵として戦ってきましたが、それと同時に、別の視点から見れば、戦争という事業を共同で遂行したとも考えられます。となり町の協力がなければ、戦争を始めることも終えることもできないわけですから。それに、勝敗を判断するのは私たち行政体の役割ではありません。行政の立場として死者の数で勝敗を決定することはできませんし、これは他の事業でもいえることですが、事業費の枠や予算規模の違い、それぞれの町における長期計画の中での今回の戦争の位置付けなどを勘案すれば、単純に勝ち負けという視点で判断することは非常に難しく、あまり意味を持たないように思えます。勝ち負けというものが決まってくるとしたら、それは最終的には両町のトップ判断ということになるでしょうね」

香西さんの声は心なしか沈んでいた。それは落胆でもなければ安堵《あんど》でもなかった。一つの「終わり」を迎えたことに対する、彼女なりの「けじめ」のようなものだったのだろうか。

「これから、ぼくはどうすればいいんでしょうか」

「任用期間の中途変更の手続きを取りますが、すでに継続任用の決裁がおりていますので、変更の手続きには若干の猶予が必要になります。ですからあなたはもうしばらくは今までのとおり分室での勤務を続けてください。手続き終了後に、またご連絡をさしあげますので」

香西さんは、あわただしく用件だけ告げると、電話を切った。僕は不通音が聞こえてもなお、受話器を耳にあてたまま動かずにいた。

香西さんは、戦争終結の残務整理で忙しいのか、アパートに帰ってくることはなかった。僕は、蛍光灯に照らされた部屋の中でぼんやりと天井を見上げていた。やがて訪れるであろうこの生活の終焉を控えて、独りの僕はそうしているしかやるべきことはなかった。あいかわらずカーテンを閉め忘れた窓からは変わらぬ夜の町が見えた。

視界には「闘争心育成樹」はなかった。

となり町の広報紙には、終戦特集が組まれていた。「さあ終戦だ！ 新しい町づくりを！」と題して、終戦復興特例債によって計画されている、念願の町民ホールの建設や、道路や公園整備の事業が華々しく列挙されていた。そして、一番下の目立たない欄に、今回の戦争による町民の犠牲者が二百五十人に上ったことがふれられていた。

「我々は、この尊い犠牲を無駄にしないよう、新たな町づくりにむかって町民一丸となって取り組んでいかなければならない。また今回の戦争によって、より深くなった舞坂町との絆《きずな》を他の事業においても役立てていくことが、生き残った者の責務である」という町長談話が、町長の写真とともに掲載されていた。

僕は広報紙を放り投げると、立ち上がり、窓の外を眺める。少し離れた場所で行われていた、家の新築工事はほぼ完了しており、まだカーテンを持たない窓が、夜の暗闇を家の中までも導いていた。あの家の基礎ができた頃、香西さんに話しかけたことを思い出した。僕が引越しなんて知らない幼い頃は、家ができたらそこに自然に人が生まれてくると思っていたって話だ。あの時は、香西さんの弟からの電話で中断された。僕があの時、香西さんに伝えたかったのはこういうことだ。

「ねえ、香西さん」

誰もいない部屋で、僕は香西さんに話しかける。もちろんそこに返事はない。

「あのころは、ぼくは人の生とか死とかってよくわからなかった。人は自然にそこに現れて、自然に消えていくものなんだっておもっていたよ」

僕は窓の外の、新築の家を見つめ続けた。そのカーテンのない窓の中の闇を。そこに新たに生まれ来る生命を見極めようとして。

「もしかしたら、あのころのぼくはまちがっていなかったのかもしれない。人はやっぱり、自然に生まれて、そして自然に消えていくのかもしれないね。それだったら」

僕はカーテンを握りしめた。あの日、弟から電話を受けた香西さんがそうしたように。

「それだったら、こうして戦争で人が死んでいくことに、ぼくは何も感じなくていいのにね。だってそれは、死んでいくんじゃなくって消えていくんだからね」

僕は、この町から「消えていった」二百五十にのぼる生命に想いを馳せた。まるで山の稜線から見下ろした町の灯りの明滅のように音も無く穏やかに、不安とやすらぎとが、しばし漂い、そして消えた。

◇

香西さんから職場に電話がかかってきたのは、それから三日後のことだった。主任が電話を取り、僕はたまたまそばにいたので、そのまま主任の机で電話を受けた。

「業務中おそれいります、香西です」

僕は思い出していた。はじめて香西さんから電話がかかってきた日のことを。香西さんの声音は、あの日と寸分違うことなく、事務的かつ落ち着いていて、わけもなく遠い想いを感じさせた。

「手続きが完了しましたので、分室は閉鎖されました。あなたの荷物はすべてもとのアパートに戻してありますので、今日からはまたそちらにお戻りください。任期分の給与は、残りの日数との差引額を計算した上で口座の方へ入金されます」

「じゃあ、今日からは前の生活に戻るわけなんだ」

「そうですね、ただ婚姻届だけは、届出抹消作業が武装解除申請後になりますので四月になってからということになりますが、それ以外はまた普通の生活にお戻りいただけます」

もっと香西さんの声を、戦争のことを聞きたかった。でもそれは無理な相談だった。電話の背後から伝わってくる雰囲気や、香西さんの口調からもそれは察せられた。

僕は受話器を置いた。冬の早い落日が、色を紅く変じて斜めに事務室の中にそそいでいた。光は、部屋の中のものすべてを平等に、そして否応もなく染め上げていた。そう、平等に、そして否応もなく。

「この国で、こんなに紅く夕日が染まるのも珍しいですねえ」

椅子ごと窓の方をむいていた主任は、自身をも紅く染め上げながら誰にともなくつぶやいた。

「ああ、主任の住んでた国って、こんな夕日が見られたんですか？」

僕は主任の横に立つ。

主任は、何も聞こえなかったようにしばらく動かなかった。やがて、ようやく僕の言葉が通じたかのように口を動かした。

「そうですねえ、今の時期はいつもこれよりも紅かったですよお。埃っぽい国だったんですがあれだけは……、はい、畑やってるときはみんなあの夕日合図にやれやれって腰伸ばして……、唄いながら家に帰るんですよ。晩飯と家族の待ってる家……、唄いながらねえ……、ああ、あの唄はなんだったですかなあ……」

主任は、自分の中の、追憶の深い井戸の奥底をのぞき込んでいたが、やがて切れ切れに、遠い異国のコトノハと旋律を、紡ぎ出した。僕は、主任のまわりに埃まじりの風が吹くのを見た気がした。

「主任、これは？」

机の上に、引きちぎったような布切れが四つ置いてあった。僕はその一枚を手にとって尋ねた。戦闘服の襟章のようで、そこには「舞坂町」と金糸で刺繍が施されていた。

「ああ、また増えてしまったんですよお」

襟章は、僕の手の中で紅い夕日に染まって血染めのように姿を変じた。

「一緒なんですよお。一緒、アタシん中じゃあこれもただのモノだし、あれはモノと一緒なんですよお」

主任はおだやかな口調で、まるで異国の唄の続きであるかのようにそう唱えていた。僕は襟章を手にしたまま、視線を主任に戻した。主任は光の中で、眼を細めていた。その表情には、生命を司る神のごとくただただ、世界を見定めるおだやかさがあった。僕はそこに、あの査察の夜に山の中で見た仏たちの表情を見た気がした。二つの表情が内に秘めるものはまったく相反するものであるはずなのに、僕の中で重なり合っていた。

◇

何ヶ月ぶりかに、元のアパートに戻った。部屋の中は、以前住んでいた時と寸分違わぬ配置で、僕を迎えた。数枚の皿やコップが、洗ってあるにもかかわらず流し台の中に置いてあった。そういえば前回この部屋から分室に引越した際は、香西さんが真夜中に迎えに来たため、洗い物の途中で流し台に放り込んだ食器があったような気がする。

香西さんに聞いたところによると、こうした私有物の移動もコンサルティング会社が委託を受けており、移動前にすべての配置について写真を撮り、戻す際にはその写真に基づいて忠実に復元するのだそうだ。コンサルティング会社は、写真にもとづいて忠実に、すでに洗ってある食器で「洗い物がたまった流し台」を再現していってくれたようだ。

流し台の食器を片付けながら、僕は香西さんの言葉を思い出していた。

「あなたの私有物については、最初の移動の際に作成したチェックリストがありました。それに、分室で勤務していた間の購入物を追加してリストアップしたものを、キッチンのテーブルの上の封筒に入れておきますから、チェックしていただいて問題なければ署名、押印の後、同封の返信用封筒で郵送してください」

一通り部屋の中を見回し、元のとおりに並んでいるのを確認すると、テーブルの上の〔私有物移動リスト〕に眼を通した。リストは、家具、衣類、書籍など項目ごとに膨大なものになっていたが、それらを一つ一つ確認する意思もなく、必要性も感じなかったので、ぱらぱらとめくっていった。

最後のページは分室で勤務していた際に僕が購入したもののリストで、文庫本やCD、洋服などがきちんと把握されて追加リストが作成されていた。そして最後の欄には、香西さんが手書きで追加したらしく、律儀な文字で「闘争心育成樹」と記されていた。

僕は、リストから顔を上げ、部屋の中を見渡した。「闘争心育成樹」は、分室の時と同じく、窓際の机の上に置かれていた。その鉢植えは、しばらく見ないうちに、ひ

(株)ミツヤマ・トランスポート

(１ページ／24ページ)

弊社担当	お客様①	お客様②	
山田			

北原修路　様　　私有物移動リスト

お客様からのお預り物の移動に関しましては、山田 が担当いたしました。

1. 物品名、個数、破損の有無をご確認いただき、チェック欄にご記入ください。
   ※項目すべてに問題が無い場合は、「一括チェック」欄への押印でも結構です。
2. 物品の不足、破損に関しましては、　24ページの「不足物、破損物リスト」にご記入ください。
3. このリストは、成和２４年２月末日までに弊社までお送りいただきますようお願いいたします。

1. 家具

No	移動物品名	形状 (幅×奥行き×高さ)cm	個数	弊社チェック欄	お客様チェック欄①	お客様チェック欄②	備　考
1−1	食器棚①	119×42×80 (キャスター付)	1	✓			
1−2	食器棚②	90×42×150	1	✓			扉ガラス一部欠損 (別添写真①)
1−3	ダイニングテーブル	90×60×71	1	✓			
1−4	ダイニングチェア	42×48×96 (座面45) 座面合成皮革	2	✓			座面裂け有り (別添写真②)
1−5	ベッド	パイプ組立式　104×222×36 寝台部分木製布張り	1	✓			足保護ゴム欠損有り (別添写真③)
1−6	机	120×60×70	1	✓			天板傷有り (別添写真④)
1−7	椅子	62×64×85 (座面52)	1	✓			
1−8	オーディオラック	163×35×45	1	✓			側面化粧合板色落ち (別添写真⑤)
1−9	パソコンデスク	72×63×130 (天板65)	1	✓			
1−10	本棚①	82×18×175 (棚板可動式)	1	✓			棚板1枚欠損 (別添写真⑥)
1−11	本棚②	65×34×130	1	✓			
1−12	3段ボックス	35×25×90	1	✓			
1−13	衣装チェスト	130×35×52	1	✓			化粧合板一部剥離 (別添写真⑦)
1−14	パイプ式衣装ハンガー	83×42×142 (キャスター付)	1	✓			
				お客様一括チェック欄→			

2. 衣類 (2分の1)

No	移動物品名	形状	個数	弊社チェック欄	お客様チェック欄①	お客様チェック欄②	備　考
2−1	下着	ブリーフ	3	✓			
2−2	下着	トランクス	12	✓			ベランダハンガー吊下3枚 (別掲配置図F) 浴室脱衣カゴ内2枚 (別掲配置図D)
2−3	靴下	(2足一組)	23.5	✓			片足のみ1足 破れ有り2足 (別添写真⑧) ベランダハンガー吊下4組 (別掲配置図F) 浴室脱衣カゴ内3組 (別掲配置図D)
2−4	タンクトップ		3	✓			
2−5	Tシャツ		12	✓			袖ほつれ有り1枚 (別添写真⑨) ベランダハンガー吊下2枚 (別掲配置図F) 浴室脱衣カゴ内2枚 (別掲配置図D)
2−6	長袖Tシャツ		4	✓			
2−7	ワイシャツ	半袖	6	✓			
2−8	ワイシャツ	長袖	12	✓			袖ボタン無し1枚 (別添写真⑩) ペンキ付着1枚 (別添写真⑪) 寝室床上脱捨1枚 (別掲配置図B) ベランダハンガー吊下2枚 (別掲配置図F) 浴室脱衣カゴ内1枚 (別掲配置図D)

(次ページにつづく)

とまわり大きくなっていた。水も充分に与えられていたようで、葉も繁り、青々としていた。じょうろが見当たらなかったので、僕はコップで水を与えた。

それにしても、分室の「査察」で没収されていたこの鉢植えが、なぜ戻ってきたのか？　それもとなり町からではなく、なぜ香西さんの手を通して戻ってきたのか。

僕は、「私有物移動リスト」に一枚ずつ押印して返信用封筒に入れると、ポストに投函するため部屋を出て、車に乗った。ポストは歩いていける場所にあったし、投函するのは、明日の朝でもまったく問題なかった。車に乗ったのは、分室にいた時に借りっぱなしにしていたレンタルビデオの返却期限が、今夜までだったのを思い出したからだ。そして、もう一つ、どうしても確かめたいことがあったのだ。

◇

ポストに投函すると、僕はアパートに戻らず、再び車を走らせた。確かめたかったのは、二つの町が戦った戦争の痕跡だ。偵察業務中は、香西さんから二つの町の境界に近づくことを禁じられていたので、境界といえば国道しか通ることはなかったのだ。僕は町道からあたりをつけて、適当な個所で曲がった。周りはなんということはない、普通の住宅街だ。僕は道路の緩やかな蛇行のままに車をゆっくりと走らせ、やがてわずかに灯された外灯の下で、車を止めた。車内灯をつけると、職場から持ってきた住宅地図を開いた。僕自身、国道以外での二つの町の境界線については、うまく把握していなかったからだ。

地図を見て、再び周囲へ眼を移した。その道の両側には同じような住宅街が広がっていたが、道をはさんで右側が舞坂町、左側がとなり町だった。僕は後続車がいないのを確認すると、ゆっくりと車を走らせながら、二つの町を交互に確認した。そのどこかに戦争の痕跡を探ろうとした。割れた窓、銃撃でえぐられた塀、焼失した家屋、そして戦死者の屍。血痕。何ものをも見落としたくはなかった。不意に、あのおかっぱの男のコトバが蘇《よみがえ》ってきた。

「トウサツは盗み撮りの盗撮じゃなくって、倒れると撮影で倒撮、戦死写真の撮影のこと。戦争楽しむのにも派閥があるってコトですよ」

僕の中でそのコトバが繰り返された。僕は、彼のように「戦争を楽しむ」気はない。でも今、まるで間違い探しをするかのように、戦争の痕跡を探している。ある意味楽しんでいる自分と、それを戒める自分が存在する。事故や災害を特集したテレビ番組を、眉をひそめながらもわくわくして観てしまうように。自己の絶対的な安全性が確保された場所では、人の災難ですら娯楽になり得るのだ。

だが結局、戦争の痕跡はなんら見つけ出すことができなかった。僕は、あきらめてため息混じりに車を加速させた。ため息が安堵から生じたのか、失望から生じたのか、僕自身にもわからなかった。

様々な思いが未分化なまま、レンタルビデオ店に向かった。ビデオを返して、もうこの店を利用することもないんだろうななんて考えていると、あの査察の夜のことが思い出された。あの日、戦争映画のビデオが並べられていた特集コーナーは、「こだわりの恋愛映画特集」という、まったくこだわっていない特集に様変わりしていた。僕は、日常が滞《とどこお》りなく流れているこの店内で、非日常への第一歩を踏み出したのだ。

そしてここから佐々木さんの家に……。

査察の夜のことを思い起こしながら僕は、あの夜の自分の足取りを車でたどってみた。佐々木さんの家は、車でいけば二分もかからなかった。あの夜と同じく、そこはひっそりと静まり返っていた。もちろん電気はついていなかった。あの時と同じく、このひっそりとした家の中に佐々木さんはいるのだろうか。だが僕はひとつの違いに気付いた。佐々木さんの表札がなくなっているのだ。かつて表札があった部分は、長く表札があったことを物語るようにそこだけ元の壁の色を留め、白かった。僕は、しばらくその白い部分をながめた後、「かつて佐々木さんの家であった」建物を後にした。

そういえば、佐々木さんは、この戦争のために「敵地潜入員」という肩書きでこの町に住んでいたんだから、今は、僕と同じく任務を解かれて舞坂の町に戻ったのかもしれないな、と僕は自分を納得させた。表札のあった白い部分を思い返しながら、僕の中での「戦争の終わり」を考えていた。

◇

アパートに帰りついたのはもう夜が更けた頃だった。エンジンを切って、車を降りようとして、はじめて気付いた。僕はいままでの癖で、香西さんと一緒に暮らしていた分室に帰ってきていたのだ。苦笑しながら、ふたたび車のエンジンをかけようとした。

その時、ふと横を見ると、香西さんの赤い車が止まっていた。分室を見上げると、部屋には灯りがついていた。水曜日の夜、香西さんが料理を作って待っていてくれた時と同じあの灯りだ。僕はその灯りをしばらくながめていたが、意を決して車を降りて部屋へ向かった。

扉には鍵がかかっていなかった。僕は音立てぬようにノブをまわした。そこは、単に荷物がないからという理由以上に、空虚で寒々とした空間に変じていた。まるで、数ヶ月の間、僕と香西さんが生活していたということすら否定するかのような寒々しさだった。その何もない空間の真ん中に、香西さんがいた。黒いコートを着たまま、窓の方を向いて座っていた。

僕の気配に、香西さんはふり返った。そして僕を見た。香西さんは、まるでこの部屋に巣くう夢魔に侵されてしまったかのように、表情を失っていた。

香西さんが口を開いた。そこから「どなたですか？」というコトバが出てきそうな気がした。だが、香西さんの表情には、いつもの静けさが戻った。

「なにか、忘れものがありましたか？」

「いや、香西さんこそ、どうしたんですか？」

僕は身震いしながら香西さんを見、そして寒さに満たされた部屋を見渡した。

「さっきまで、役場の方にいましたから、最後の確認にきたところです。私の持っている鍵を返せば、この分室は閉鎖されます」

寒さの中に溶け込むような話し方だった。

「なんだか、こうして何もなくなると、ここで暮らしてたのって、本当におこったことではないような気がしてきたよ」

僕が冗談まじりにそう言うと、香西さんはしばらく思いに沈み、やがて浮上してきたように言葉をつないだ。

「……そうですね。なんだか、本当に、終わったんだなって、感じています」

「香西さん。なんだか短い間だったけど、お世話になりました」

「こちらこそ……」

香西さんは言葉少なだった。ただその寡黙《かもく》さは、僕に早くいなくなってほしいという気持ちの表れではないようだった。何か別のことで、思いの淵に立っていて、時折こちらに鈍い信号のようなものを送っているように感じられた。僕は話題を変えて多少おどけるように今見てきたことを話した。

「そういえば、今、査察の時にお世話になった佐々木さんの家を通ってきたんだけど、表札がなくなってましたよ。佐々木さんも戦争が終わって業務が終了したんで引越ししたんですか？」

ふと思いついてそう尋ねると、香西さんをとりまく空気が色を変えた。僕がなにげなく投げ入れた小石は、予想以上の波紋をひろげてしまったらしい。

「佐々木さんは……、亡くなられました」

香西さんは、言った。その声は乾いていた。

「もしかして、戦争で？」

香西さんは下を向いたまま小さくうなずいた。

「それは、何時《いっ》のこと？」

「あの夜、査察の日です」

「でもどうして香西さん、そのことをだまっていたの？　この前二人で鎮魂の森に行った時、ぼくは佐々木さんのことを聞いたよね？　どうしてその時教えてくれなかったの？」

自然に声に怒りがこもった。僕に教えなかったのは、香西さんにとっては、戦争という事業を遂行する上で、佐々木さんの死というものが、大きな意味を持っていなかったからだと思ったのだ。

香西さんは、顔をあげ、僕の怒りを真正面から受け止めた。そこには、僕の「一人の死に対する思い」などたやすく吸い込んでしまうような深い闇を湛えた瞳があった。それは、日々多くの「人の死」を機械的に受け止めてきた、いや、受け止めざるを得なかった者のみが持ち得る瞳だった。僕に対する憐れみのようなものさえ浮かんでいた。

「佐々木さんが亡くなられたのは、査察のあった日です。あの日、佐々木さんには、あなたより先に連絡を入れていました。ですから佐々木さんは査察から逃れようと思えばできたんです。ですが、あなたを査察から逃がす、という目的を達成するためには、佐々木さんにあの場に留まっていてもらう必要がありました」

香西さんは、一つ一つ言葉を選ぶかのように話した。

「あなたを逃がすか、佐々木さんを逃がすか、私たちは決断を迫られました。そして佐々木さんはあなたを逃がすために、あの家に残ることを決断したんです。その結果、佐々木さんはとなり町の査察を受け、舞坂からの潜入員であることが発覚したため拘留され、となり町の戦時特別委員会の決定により銃殺されました」

「銃殺……」

「あなたにお伝えしなかったのは申し訳なく思っています。ですがこれはお伝えするべきではないと判断してのことです。もしあなたが今夜佐々木さんの家を訪れるようなことがなかったなら、今も私はお話ししていないと思います。わかってください」

僕は混乱していた。あの夜、僕は香西さんの指示のとおりに逃げ回りながらも、何だかスパイ映画のようなスリルと興奮をあじわってさえいたのだ。そんな僕を逃がすために、佐々木さんの命が犠牲になったということが、理解できなかった。あの時、一歩間違えば発見されたであろう場面が幾度もあった。もし発見されていたら僕も銃殺されていたということがよくわからない。理解できない。リアリティがまったくないのだ。

「わからない、ぼくにはあいかわらずよくわからない。人が一人死んだ。ぼくのために。戦争の意味がまったくわからない。ぼくがスパイ映画気取りで逃げまわっていた間に……。でもそのことへの罪悪感がまったくわいてこない。あまりにもリアルじゃないから。まるで遠い砂漠の国で起こった戦争で、死者何百人ってニュースで聞いてるみたいだ。まるで他人事《たにんごと》だ。どうしてだろう。香西さんにとってこの戦争はリアルなの？ 痛みはあるの？」

僕は自分の中の怒りや驚き、そして憤りの持って行き場をなくしてそんな言葉を香西さんに投げた。

香西さんは、正座をしたまま僕を振り仰ぎ、何かを躊躇しているような表情を見せた。僕はその表情の行く末を見守った。短い「結婚生活」の中で、香西さんが公的な部分と私的な部分の狭間で揺れうごいているときのとまどいを、わかってあげられるようになっていた。

「あの……、あなたにとっても、この戦争というものはよくわからなかったと思いますが、私にとっても、おそらく別の意味で、今回の戦争には、未知数の部分が多かったように思えます。行政に携わる者としてではなく、一人の町民として言うならば、今回の戦争で私は、多くのものを失ってしまいました。この戦争さえなければ、と思うことも幾度かありました」

香西さんが？ あの、役所の論理に従って、僕にとっては不条理にも思えた業務を、「事務的」に処理しているかに見えた香西さんの中に、そんな想いがあったというのか。僕はまたわからなくなって、沈黙していた。香西さんは、僕の沈黙の意味を知ってか、ぽつりとつぶやくように言葉を発した。

「やっと、私も、弟に会いに行けます」

「ああ、そうなんですか」

僕は話の行方がわからないままに香西さんの言葉を受けた。

「会う、と言っても、遺体の収容ができなかったので、写真しか残っていませんが」

「遺体？」

「私の弟も、佐々木さんと同じく、戦死者の一人なんです」

「え？」

「弟は、舞坂町の戦争という施策に疑問を持ちながらも、町を守りたい、という意志から志願兵として戦っていました。あなたが公社の査察からファイルを持って逃れていたちょうどその頃、弟は舞坂町の、第五次夜間襲撃計画案に従い、となり町に侵入し、となり町は条例施行規則に定めるままに、弟たちを排除しました。となり町で死亡した敵兵は埋葬によらず、ごみ焼却場での焼却処分がされる旨を定めた追加規則が、となり町で承認されたのはその前日のことです。私は、あなたを迎えに山へと向かう途中で、弟の死体を確認しましたが、どうすることもできませんでした」

　香西さんの言葉に僕はあることを思い出していた。あの日、公社の査察があった日、車の中で段ボール箱に隠れたまま通ったらしい「クリーンセンター」、そこで聞いたモーターのような響き、そこで下ろされた「荷物」、そしてそれを「投げ下ろした」

者たちの言葉。僕はそのすべてをもう一度なぞった。実際には見ることのできなかった光景が、モノクロの無声映画のように僕の中で再現された。様式美をもった放物線によって香西さんの弟の死体は、投げ込まれた。そしてどさりと落ちた。無声映画であるにもかかわらず、その音は僕の中に響きわたった。

「あの、説明会の日に、室長と戦争について議論していた男性。あれが弟です」

「え……」

言葉がなかった。あの説明会の日、香西さんも、そしてあの男性も、何らそんなそぶりを見せなかったからだ。でも僕は気付くべきだったのかもしれない。香西さんの言うことを聞かず、町兵として志願したという一途《いちず》さ。そして説明会で見せた、奇妙な正義感と郷土愛。それはまさに同一のものだったからだ。

「でも……、香西さん。自分の弟なんでしょう。どうにかしてあげることはできなかったんですか？　せめて死体を回収するとか」

「となり町で死んだ時点で、兵士の死体はとなり町の所有になります。それを勝手に運ぶことは、となり町の条例に触れることになりますから」

「だからって、香西さん、それでよかったんですか？」

「それが戦争です。そして戦争を遂行することが、私の業務なのです」

香西さんは僕を真っ直ぐに見上げた。

そこには何もなかった。哀しみも、怒りも、憤りも、あきらめも。そこには、静かな、菩薩のように静かな笑みだけが残されていた。主任の眼と同じだった。

「香西さん、ここは寒すぎるよ。帰ったほうがいい」

僕はもうかけるべき言葉のすべてを失っていた。香西さんは、僕の励ましも、慰めも、必要としていないからだ。

「ありがとうございます。でも、もう少し、ここにいさせてください」

その言葉、そして表情は、静かで、穏やかで、やさしげで、はかなげで……、でありながら何ものにも侵しえない強い意志が表出されていた。それは、あのハンバーガーショップで一瞬だけ見た香西さんの弟の表情、その瞳に表された意志の強さと、それに相反する不安定さに重なった。今考えれば確かに香西さんに相通ずるものがあったのだ。

分室は、ますます寒々しさを増していった。

子どもの頃、僕は思っていた。家ができたらそこに自然に人が生まれ、そして家がその役割を失えば、人もまた自然に消えていくのではないかと。この「分室」は、まさに今、その役割を終えたのだ。僕には、このまま香西さんが消えてしまうんじゃないかとさえ思った。座った姿勢のまま、輪郭を徐々に失って、そしてその姿を消してしまうのではないかと。

終章

冬の終わりの陽光は、抗《あらが》うことなくその覇権を夜へと早々に譲り渡し、街を包む冷気は徐々にその輪郭を顕《あら》わにしはじめていた。朝日を西から昇らせるくらいの無理をして夕方五時きっかりに僕は会社を飛び出した。金曜日の夜ということもあって、すべての信号機にしっかりとつかまりながらも、舞坂の町を目指して車を走らせていた。

それにしても、この一週間というもの、会社はひどい騒動だった。主任が突然に失踪してしまったからだ。ほとんど荷物らしい荷物を持たずパスポートだけがなくなっていることから、行き先はあの、奥さんと子どもを失った国ではないかと社員たちは噂《うわさ》しあった。

僕は、いつか車のバックミラーごしに見た、主任の柔和な瞳、そしてその中に感じたある「定まったもの」を思い返した。

もしかしたら……、もしかしたらあの通り魔殺人は、主任の手によるものだったのかもしれない。「外国での戦闘経験者」は、国内での戦争参加を妨げられないため、開戦前から主任は舞坂となり町の二つの町から戦争への参加を要請されていたのだ。主任にとってあの通り魔殺人は、自分の中の何かを確認するための行為だったのではないか？

僕はそれが何であったかを考える。主任にとってそれは、単に人を殺す技術の確認ではなく、「人を殺す事」そのものの確認行為ではなかったのか。主任は、戦争で妻と子を失い、また「人を殺す」ことによって、自分の中の何かを失ってしまった。「すべてを失うことは、すべてを得ることに等しい」と人は言う。であるからこそ、すべてを失うことで主任は、無辺の彼方を見定める仏のごとくに「定まった」瞳を僕にさし向け得たのではなかったか？　主任にとっては「命を与えること」も、「命を奪うこと」も、まったくの同一の地平にあるのではないか。きっと人を殺す時は、半眼の中に微笑をたたえた、穏やかな、本当に穏やかな表情をしているに違いない。そこには、恨みも、怒りも、哀しみも、憤りも、恐れも、何ものも含まれていない。ただ「人の死」があるのだ。

◇

舞坂の町役場には、きっかり六時にたどりついた。役場は、あいかわらず陰気で威圧的な雰囲気を漂わせていた。冬の寒さを助長するかのようなそのたたずまいの前で、香西さんは白いコートを着て、陽光の名残を思わせる姿で僕を待っていた。

路肩に車を止めた僕は、車を降りると、舗道で香西さんを迎えた。

「待ちましたか？」

「いいえ、今来たばっかりですよ」

そう言って香西さんは、肩先で髪を揺らした。白いコートの胸元からは、いつものスーツではなくニットがのぞいていた。

「着替えてきたの？」

「ええ、家は役場の近くですから」

香西さんは助手席に乗り込むと、コートを着たまま、首に巻いた薄い萌黄色のマフラーをくるりと巻き取り、膝の上で折りたたんだ。両手をそっとあげて髪の乱れを直すと、そのまま両手をマフラーの上に置き、僕を見つめた。

「なんだか、ひさしぶり……って感じですね」

「三週間ぶり、かな？」

僕は車をUターンさせた。舞坂の町はすでに夜支度をととのえ、町を縁取る街灯は光を強めていた。

「無理を言ってごめん。仕事は、大丈夫だった？」

運転しながら香西さんの方をうかがった。

「あ、仕事はいいんですよ。今はもう残務整理ですから、それに」

香西さんは、マフラーの上の手を組みかえて、ダッシュボードの方へ倒れこむような恰好で、僕をのぞきこんだ。

「あんな風に、逢いたい、っていわれたら、がんばって仕事終わらせないわけにいかないじゃないですか」

その動作に、初夏に咲く花を思わせる香水の匂いが、かすかに漂った。

「ゴメン。だって、業務を離れて香西さんと逢うのははじめてだったから、勝手がわからなかったんだ」

僕は、三日前に香西さんに電話した時の、狼狽《ろうばい》した自分を思い出して少し照れながらいいわけした。香西さんはクスクスと笑って、そんな僕を面白そうに見ていた。

そのまま都市高速へと車を走らせた。高架で街を走り抜ける都市高速は、空港の広い敷地に沿って走り、滑走路が海原のように見渡せた。一面に誘導灯の青い光がちらばり、海に沈んだ街の街灯のように、規則正しく並んでいた。明朝一番の居留地行きの飛行機が、赤い翼を印象づけて僕たちを見送った。

海に臨んで倉庫の立ち並ぶ港で都市高速を降り、パーキングに車を止めて、倉庫街の一画にある古い石造りの建物に香西さんを案内した。かつて海を隔てた居留地との交易のために、船舶会社が事務所として使っていたこの建物は、重厚な石造りをそのままに改装が施され、一階部分の四部屋はカフェや雑貨店に、二階の四部屋はそれぞれ隠れ家的なレストランやバーに変身していた。僕は、ゆったりとした石造りの手すりを伝って二階に上り、海側の、「終末の預言」と名づけられたお店に香西さんをいざなった。

重々しい扉をあけると、店内は天井からの柔らかな燭光《しょっこう》に満たされており、奥行き深い物腰で暖かく僕たちを迎えた。僕たちは、それぞれコートを脱ぎ、給仕人にあずけた。香西さんのコートの下からは、ファニーレッドのスカートと、黒のツインニットとが、鮮やかさとくすみを互いにひき立てあってあらわれた。燭光が、香西さんの身体の上をうつろう。その身体は、細くはあるが、芯を失うことなく、清冽《せいれつ》な色香を僕に感じさせた。香西さんは、僕の視線に上気した表情を見せた。

店内のテーブル席は団体客に占められていたので、僕と香西さんは、カウンターの片隅に並び座った。さまざまな形態の瓶が並んだ飾り棚の上には、スクリーン代わりに白い布が張られ、古い型の投影機から、白黒のアニメーションが映しだされていた。猫と鼠の結末のない追いかけっこが、テンポの狂った動きのまま、終わることなく繰り返されていた。

給仕人は、僕に預言書を模した布製のメニューを差し出した。それを恭しく受け取り、結《ゆわ》い紐《ひも》を巻きほどいてカウンターに広げ、香西さんと一緒に、覗き込むようにメニューを検分した。そうして、歴代の預言者の名を冠した料理を四品と、長くて覚えきれない名前のカクテルを頼んだ。給仕人は片手でメニューをくるくると巻き取ると、預言など無関係というかのように踵をかえした。

その日、僕と香西さんは、はじめて戦争を離れて、いろんな話をした。本当にいろんな話を。夏休みのラジオ体操の話。コンビニのおにぎりの具材の話。水族館と美術館ではどちらが好きか？　自転車に乗れない友人の話。無人島に持っていく五つのものは何か？　冬の寒さと夏の暑さはどちらが我慢できるか？　などなど。起・承が転ずることで新たな起を作り出していく。僕と香西さんは、波打ち際に砂の堤防を作るかのように、築いた端から消えていく会話を続けた。

香西さんは、なんだか楽しそうだった。くつろいだ表情で料理を取り分け、長い名前のカクテルを理科の実験でもするような神妙な面持ちで口に含み、表情豊かな横顔を見せて僕に時折笑いかけた。「戦争」も「役場の業務」も「死者の影」もない場所で、こんな風に香西さんが笑い、いろんな表情を見せてくれるとは思ってもいなかった。

だけどいつまでも、今日「逢いたかった」理由から逃げているわけにはいかなかった。僕は、理由の一つを切り出した。

「香西さんに渡すものがあるんだ」

そう言って、ジャケットのポケットから、「舞坂町」と金糸で刺繍が施されたいくつかの襟章を取り出し、カウンターの上に置いた。失踪した主任の机の中に残されていたものだ。香西さんは手を膝においたまま、肩をすくめるようにして重心を僕の方に預け、それを見つめた。

「舞坂町のものだから、香西さんに返しておいたほうがいいだろうと思って」

僕の言葉に、香西さんは動きをとめた。そしてまばたきをすると、小さく唇をかんでいたが、ややあって口を開いた。

「どうしてこれを?」

「ン……、ぼくの上司は、外国での戦闘経験者なんだ」

香西さんなら、その意味するところがわかると思い、それ以上の説明を加えなかった。香西さんの腕がゆっくりと伸び、襟章の一つを取ってもう一方の掌の中央に安置した。その重みを推し量るかのように掌が上下する。

「ぼくの上司は、たくさんの人を殺しすぎて、人を殺すことにためらいとか、罪の意識とかを感じることができなくなっていたんだ。彼にとっては、人を殺すことも、戦争も、日常になってしまっていたんだ」

香西さんは、残りの襟章も手に取り、一つにして掌の中に包み込んだ。僕は、少しの間沈黙し、グラスの中の鮮やかな緑色の液体を口に含むと、それを潤滑油にするかのように、ずっと尋ねたかったことを口にした。

「香西さん、こんなことを聞いて、もし気を悪くしたらごめん」

香西さんは、話の推移がわからないながらも、僕の方をむいて小さく頷《うなず》いた。

「香西さんの弟を殺したのは、ぼくの上司かもしれない。もちろん他の誰かかもしれない。香西さんはその、弟を殺した誰かを、恨む気持ちはある？」

襟章を掌に包み込んだまま、香西さんは祈るように眼を閉じた。かすかに睫毛《まつげ》が震えるのが見えた。そうして、眼を開けると、唇の端だけで、ほんの少し微笑んだ。

「弟は、誰かに殺されたわけではなくって、戦争で死んでいったのですから」

その言葉は、本心からのものなのか、それとも自分自身にそう言い聞かせている言葉なのか。僕に想いを読み取らせない静かな横顔だった。

白いスクリーンの上では、飽くことなく猫が鼠を追いかけていた。何だか鼠は猫に永遠に追いかけられることを望んでいるようだったし、猫は鼠を捕まえることを永遠に躊躇しているように見えた。

「弟さんの、お葬式とかは済んだ？」

「ええ、身内だけで済ませました。といっても、弟はうちの親族とは絶縁状態でしたから、私と母と……、あとは弟の友達が集まってくれました」

そこには複雑な事情が察せられたが、口をはさむ余地は残されていないようだった。

背後のグループは、合コンの二次会らしい特有のざわめきを作り出していた。雑多なざわめきは、静寂に通じる。僕は、カウンターの高い椅子に不安定に座ったまま、何だか斜めに引き延ばされているような気分で、グラスの中身を少しずつ減らしていった。

この店には、テーブルごとに対戦型のボードゲームが置かれており、ゲームに興じる歓声が僕たちの背後を囲んでいた。頬杖《ほおづえ》をついて見るともなしに見ていた僕には、ゲームの駒の動きや、勝敗のゆくえがさっぱりわからなかった。配管が剝き出しになった天井には、真鍮《しんちゅう》の羽根を持ったファンが二対、風を起こすでも、音を立てるでもなく、「静止している以上にゆっくりと」回っていた。中心の弾頭のような装飾部が、僕と香西さんの姿をいびつに映し出していた。

◇

石造りの建物を出ると、しっかりとした寒さのむこうに、海の匂いがした。倉庫街は、人通りのないままに、辺りに白々とした街路灯の光を配し、静まっていた。香西さんは、僕を見て、どうしますか？　という表情を見せた。僕の「逢いたい」がまだ充分に満たされていないということを、わかってくれていた。

「香西さん、海を見に行こう」

僕は、有無を言わせず香西さんの手を握り、海岸を目指した。倉庫に挟まれた石畳に、僕と香西さんの靴音が固く響いた。香西さんは、握られた手をそっと離すと、そのまま僕に寄り添い、腕を組んだ。僕たちの影は、街路灯に照らされ、歩みに合わせてその形をうつろわせた。

十分ほど歩いて、倉庫街を抜けた僕たちは、堤防を越え、砂浜に降り立った。海を挟んで眼前に見える島とは砂嘴《さし》でつながっており、そのため懐《ふところ》深く抱かれた入り江は外海の影響を受けず、時折ざわ、ざわ、と間欠的に波音がする。静かな浜辺だ。はるか遠くの灯台の灯りがちらちらと明滅し、時折、目を覚ました水鳥がぎよぎよと鳴きながら低く水面を舞う。

月は冷気に凝縮されたかのように楕円に形を成していた。夜空の背後に横たわる光の水脈の綻《ほころ》びを思わせる明るさだった。半ば固定化された大気の中で、クィア座を始めとするいくつかの星座だけが、冬の夜空特有の配置を宿命づけられたまま、高々度気流による明滅を続けていた。

ハンドバッグを後ろ手に持ち、砂の上を、一歩、また一歩とはねるように香西さんは歩いていく。背後を歩く僕を、躍るように振り返ると、

「月がきれいですね！」

と両手をひろげ、光をその身に取り込むかのように眼を閉じた。白いコートが月の光を増幅し、香西さんを縁取った。その姿は、胸に痛くせまった。僕は、少し離れた

場所で、そんな香西さんの姿を焼き付けていた。心の奥の、決して色あせない場所に。

「そんな痛みは、だいじにとっとかんといかんですなあ」。主任の言葉が思い出される。

しばらくたたずんでいた香西さんは、やがて波を背にして砂浜にぺたりと座り込んだ。白いコートに砂がつくのも厭わずに、ざくざくと両手で穴を掘りはじめる。乾いた砂浜に、みるまに香西さんの肘までの深さの穴が穿《うが》たれた。

なにかを確認するように頷くと、香西さんはコートのポケットから襟章を取り出し、穴の底にそっと安置した。そうして、両手で砂を汲み上げ、まるで水を与えるかのようなしぐさで、襟章に砂の覆いを施していった。何度も何度も。やがて小さな砂山ができると、香西さんは動きをとめた。何かを語りかけるような、祈りに似た時間が流れた。

一連の儀式を終えると香西さんは、立ち上がり、砂をぱんぱんっと払って僕に向き直ると、お待たせしました、というようににっこりと微笑んだ。

月の光が、驚くほど鮮明に僕たちの影を砂の上に映し出していた。僕が「影踏みっ！」と言って、香西さんの影を踏もうとすると、香西さんは僕の意図を察して、身をひるがえし、波打際にまわりこんで僕の影を踏もうと反撃に出た。僕と香西さんは、しばらく無言のまま、互いの影を追い求めた。時の経過とともに、僕にはその動きが、ゲームなのか、なにかの儀式なのか、判断がつかなくなった。そして次第に影が、僕たちから離れもせず、僕たちの動きに付き従っていることにすら、違和感を覚えるようになった。

僕が不意に動きを止めると、僕に向かっていた香西さんは笑いながらバランスを崩した。その身体を抱きとめた。はずむ息のまま、香西さんは髪を整え、僕を見上げた。そのまま香西さんを離さなかった。香西さんは多少の戸惑いをみせながらも、腕の中におさまっていた。僕は腕に力を込める。香西さんは、刹那《せつな》の躊躇ののち、やがて重心を僕に預けた。僕は香西さんを抱きしめた。

影が一つになって砂の上に伸びていた。その影は、砂の起伏のままに、いびつだった。

「ねえ、香西さん」

僕は香西さんの耳元で話しかけた。かすかに香水の匂いがした。僕は、僕と香西さんを中心に世界を閉じ、その小さな世界の中で語りかけた。

「はい」

香西さんは、僕の胸にもたれて、くぐもった声をだした。

「ぼくはこの戦争で、何一つ選び取ってこなかった。戦争の始まりも、終わりもわからないまま、言われるままにぼくは動いた。戦争はいつのまにか始まってたし、いつのまにか終わってた」

「だけどぼくは、香西さんまで、『いつのまにか』失いたくはないんだ。この、何もわからない戦争の中で、香西さんと一緒にいられたこと、香西さんと過ごした毎日、香西さんの笑顔、それだけがぼくにとってのかけがえのないものだったんだ」

「はい」

香西さんは、僕の胸に強く、強く顔を押しつけた。そうして僕の腰に両手をまわすと、確かな力で僕を抱き返した。

「もちろん……、もちろん香西さんの瞳にぼくが映っていないこともわかってる。ぼくにとっては、香西さんは、失われるために存在しているということも。でもぼくは、香西さんだけは、誰かのいいなりでも、いつのまにかでもなく、自分の意志によって失いたいんだ」

僕は、語るべき言葉を語り終えた。僕は再び世界を取り戻した。波の音が静かに周囲を満たし、月の光が僕たちを照らしていた。

香西さんは、ゆっくりと眼をあけた。語り部が、昨夜の物語の続きを紡《つむ》ぎ出すような、そんな表情だった。

「一つ、お伝えしていないことがありました」

そう言うと、香西さんはふたたび眼をつぶり、僕の胸の中で、物語の続きを紡ぎだした。

「この戦争が終わったら、私は結婚……、正式な結婚をすることになっています」

今もまだ続く、「便宜的に結婚」している状態を思ってか、そんな言い方をした。

それを聞いても、不思議に動揺は起きなかった。何故だかわからない。ただ、僕にとって、香西さんを「失う」とは、そういうことではないのだ。

だが、その後に続いた言葉は、予想外のものだった。

「相手は、となり町の町長の息子さんです」

一瞬、判断のすべを失った僕は、香西さんを抱く腕をゆるめ、肩を両手でつかむような恰好で正面から見据えた。香西さんは、たじろがぬ強い瞳のまま、僕から眼をそらさなかった。その瞳にとまどいながらも、僕は聞かないわけにはいかなかった。

「ねえ香西さん、その結婚は香西さんの望むものなの？　その選択は香西さん自身が選び取ったことなの？　そこに香西さんの想いはあるの？」

香西さんは、否定も肯定もしなかった。その表情には、凪《な》いだ夜の海を思わせる、静かで、それでいて底の知れぬ深みがあった。香西さんの想いは読み取ることができなかった。ただ、背後に戦争が、暗く、根治できない病巣のように根を下ろしている気配を感じた。

僕は、異国の、名も知らぬゲームの競技盤の上にいた。香西さんの弟が、佐々木さんが、主任が、おかっぱの男が、そして多くの死んでいった兵士たちが、盤上の駒として並べられていた。それぞれの駒は何者かによって定められた道筋どおりに動かされ、今は役目を終えて、石のように動きを失っていた。それは勝ち負けを目的としたものではなかった。そしてゲームですらなかった。

そして今、盤の中央には香西さんが両手をひろげ、神の啓示を待つかのごとくに天空を見上げ、眼を閉じていた。僕には駒を動かす手を見ることはできなかったし、駒を動かす何者かが思い描く、遠い未来の、あるべき盤上の布陣を見出すこともできなかった。

そんなイメージを振り払うように、僕は首を振った。

香西さんは、強い、まっすぐな視線を僕に差し向け続けていた。迷いも、恐れも、諦めも、哀しみも、そして願いすらも、すべてを超越した、「定まった」瞳だった。主任と同じ、戦争という日常を生きる者の瞳だった。香西さんの中では、戦争はまだ終わっていないのだ。

その瞳の中に僕は、香西さんと過ごした日々、そして香西さんの表情すべてが映し出されているのを見た。それはほんのわずかな時間だった。それでも確かな匂いとカタチを持って僕にせまった。まるで夜の落雷の中に現れる一瞬の白日の風景のように。

僕と香西さんは、同じ光を見つめていた。だが、香西さんのそれは、何億光年遠く隔てた場所を折り返してきた光だった。僕にはその光の孤独を推し量ることなどできなかった。

僕は半ば意識を失うように重心を失い、そのままの体勢で、後ろ向きに砂地に倒れこんだ。香西さんは、そうなることがわかっていたかのように、僕とともに砂の上に倒れた。

香西さんの影が僕を覆った。僕の髪を波が洗う。幾本もの針を突き刺したような、痛みにも似た冷たさが襲った。海水は、コートを浸食し、僕を濡らした。それでも僕は逃げなかった。これがリアルな海で、リアルな痛みなのだ。

この戦争で、今はじめて「失うことの痛み」を感じていた。それは、手足をもぎ取られるほどの苦痛を伴った痛みだった。僕が感じた、最初で最後の、「戦争のリアル」だった。

「これが、戦争なんだね」

僕は香西さんを抱いたまま波打ち際に横たわり、そうつぶやいた。仰ぎ見た空には月が光っていた。冷徹に、慈悲なき姿で。

「これが戦争なんです……」

香西さんは、僕の腕の中で、自身も波に洗われながらそう応えた。僕は香西さんを引き寄せ、唇を重ねた。冷たい唇。まるで「月の光が暖めたかのように」冷たかった。

「これが、戦争なんですよ」

香西さんは、穏やかな微笑のまま僕をあやすように、やさしく静かにそう告げた。

波の雫と涙の雫が、へだてなく僕に降り注いだ。

◇

冬の海に濡《ぬ》れそぼった僕たちは、海辺のホテルに入り、交代でシャワーを浴びて、濡れた身体を温めた。先に浴びた僕は、香西さんのシャワーの音をききながら、窓にかかる分厚いカーテンを開けた。そうして、部屋の灯りをすべて消した。瞬時、闇と同化した部屋は、月の光により、輪郭をおぼろに取り戻した。

僕は海に面して大きく配された窓辺に立ち、世界を見下ろした。月に照らされた海と砂浜。遠くには島影が、明滅する灯台のあかりでそれと知れた。月はあまねく地上を照らし、世界を箱庭のように矮小化《わいしょう》していた。僕は、なんだか違う世界にふみこんだような感覚の中に漂っていた。時間も音も想いも、なにもかもがその軸足を、「ここではないどこか」へと一歩踏み出したかのようだ。そこには、「世界を隔てた」かのような静謐さがつきまとった。

浴室から出てきた香西さんは、灯りのない部屋に躊躇するかのように、しばらく眼を慣れさせていたが、やがてその歩みに意志を持たせ、光さす窓辺で僕と向き合った。

「香西さん、そこにいるの？」

もちろん僕には、バスローブを着た香西さんの姿が見えた。でも声に出して確かめなければ、香西さんがそこにいることを確信できなかった。

「見えますか？　私の姿が」

「わからない。ぼくには、見えていないのかもしれない。香西さんの姿が」

僕のその言葉に、香西さんはしばらく動きのない時を刻んだ。違う時間軸のもとに律されているかのように。やがて、ゆっくりと確かな動作で、バスローブの結びが解かれた。香西さんは、両肩を抱くような恰好で、バスローブを脱ぎ落とした。

その身はすでに何物をもまとっていなかった。自然な姿で立ったまま、僕に向き合った。月の光が香西さんの身体に、優しげで、粒子の粗い陰影を作り出していた。柔《やわ》げな丸みを見せる双の乳房が覆うものもなく外界にさらされ、その頂きで薄く色づいた乳首が震えるようにその身をあらわにしていた。もともと細い身体のせいか、腰のくびれは目立つことなくゆるやかな窪をなし、たおやかな丸みを帯びていた。浅く切り込まれた臍《へそ》がわずかな影でその場所を知らせた。薄い陰毛が光を受け、細い両腕と下肢が、光の中でとまどったように伸びていた。

「ここにいますよ……」

香西さんは、どうぞ、と言うように僕に手を差し伸べた。

僕は、同じようにバスローブを脱ぎ落とすと、そっと香西さんに触れた。髪に、頤《おとがい》に、首筋に、胸に、二の腕に、腰に。そこに香西さんがいることを確認し、その確かさをつなぎ合わせるようにそっと抱きしめた。ひそやかな息遣いが聞こえた。

僕は香西さんのすべてを僕の中に刻みつけた。まるで香西さんを「失うための」儀式であるかのように、香西さんの身体を、やわらかな起伏のままに唇でなぞった。その身体は、確かな弾力で僕の唇に応えた。それらはすべて僕の腕の中にあった。僕は香西さんのリアルを受け止めた。

そうして、僕と香西さんは繋がった。

僕の動きのままに、香西さんは小さく声をあげた。そしてそのやわらかく溶けた肌で、僕をいざなった。はかなげに、それでいて力強く。

「ねえ、香西さん」

僕は香西さんを抱いたまま、問いかけた。

「何でしょう？」

香西さんは、小さく息をはずませながら、上気した表情のまま僕を見た。

「これは業務のうちじゃないよね」

香西さんは一瞬、ん？　という表情をしたのち、甘えるように両手をさし上げ、僕の首を下から抱きすくめた。

そして僕は、痛みに似た射精をした。

月の光の伸張が、時の経過を知らせた。僕にも、そして香西さんにも、眠りはおとずれなかった。月は中天を過ぎ、周囲を白々と染め上げながら、なお西方に光を残していた。シーツを身体に巻いた香西さんは、光を背負い、異国の預言者を思わせて窓辺に立った。

僕の影は、香西さんの影と重なっていた。だが、二人の影が重なっても、影の濃さはかわらなかった。重なった部分は、僕の影であり、また香西さんの影でありながら、「二人の影」ではなかった。

香西さんは唄っていた。僕の知らない唄を。僕はその唄を聴きながら、想いの中に身を沈めた。長き時の流れの中で、いつしかその姿を失っていくであろう想いの中に。

香西さんの影に覆われて、僕は眼を閉じた。「終わりと始まり」。海からの、遠く大陸からの風が吹きかかる。僕には終わりも始まりもわからなかった。わからないままに、僕は香西さんの影の中で眼を閉じていた。

それが、僕と香西さんの最後のつながりだった。

◇

三月のある休日、僕は一人で車を運転していた。

音楽を聴いていた。香西さんと聴いた「戦争の犯罪」という曲だ。結局「私有物移動リスト」はよく確認しないままであったが、その中に一つだけ間違いがあり、なぜか香西さんの持ち物であるこのCDが、まぎれ込んでいた。

山あいの、ゆるやかに蛇行した登り坂にあわせて、ハンドルを切った。山の稜線では、春を間近に控えたこの地方特有の、けぶるような大気の下に、大地を俯瞰することができた。スピーカーから流れる曲は、自然に香西さんのことを思い出させた。僕を見上げる強く、そしてはかなげな瞳。何もかも定められた世界に響くその声音。細い肩。そして週に一度僕に見せた白い肌。すべて現実にあったものでありながら、僕はもうそれに手を伸ばす術《すべ》をしらなかった。

手元に残ったもので、香西さんとの思い出につながるものは、この「戦争の犯罪」、そして「闘争心育成樹」だけだった。「闘争心育成樹」は、佐々木さんから購入した時より、ひとまわり大きくなってはいたが、あいかわらずはかなげだった。助手席にあやうげに鎮座しているその苗木は、車の振動にあわせてか細い葉を揺らしていた。

森は、あの時と違うことない姿で僕を迎えた。いや、「迎えた」という表現は的を射ていない。「鎮魂の森」は僕を受け入れもしないし、拒みもしない、ただそこに「ある」のだ。「鎮魂」とはそういうことなのだ。慰めでもなく、哀れみでもなく、ただ時を、時代を超えて「戦い死にゆくもの」を見つづける。山奥にひっそりとたたずむ仏たちが、半眼で人々の愛憎すべてを見定めるように。それがこの森にとっての「鎮魂」なのだ。

あの日、香西さんと歩いたのと同じ小路を、僕はリュックをかついで歩く。リュックの中では、「闘争心育成樹」が揺れていた。小路から離れて森の中に入った。木々の梢をかすめるように風が舞っていた。一歩一歩が、木々に覆われた天蓋《てんがい》の中で響いた。

足元に光が泳いだ。見上げると、そこだけは周囲の木立がまばらとなり、円形の舞台のように上空から光が注いでいた。僕はそこに場所を定めると、リュックからスコップを取り出し、小さな穴を掘った。苔に覆われた地面にはたやすく穴を穿つことができた。

穴を掘りながら思う。この日々、この半年の日々を。僕は戦争に加わった。戦争の影を決して見ることはなかったが、僕はなんらかの見えない刃を持たされていたのだろうか。その刃で、幾人かの敵を、知らぬうちに切り捨てていたのであろうか。

確かに僕は、誰かを意志を持って殺しはしなかった。しかし僕を助けるために、確実にこの戦争で、佐々木さんという一つの命がなくなっている。僕はもしかしたら、そのことを一生知らないままに、無自覚に、イノセントに、生涯を終えたかもしれないのだ。

考えてみれば、日常というものは、そんなものではなかろうか。僕たちは、自覚のないままに、まわりまわって誰かの血の上に安住し、誰かの死の上に地歩を築いているのだ。

ただそれを、自覚しているのかどうか、それが自分の眼の前で起こっているかどうか。それだけの違いなのではなかろうか。僕はもう、自分が関わったことが戦争であろうが、なかろうが、そんなことはどうでもよくなった。

たとえどんなに眼を見開いても、見えないもの。それは「なかったこと」なのだ。それは現実逃避とも、責任転嫁とも違う。僕を中心とした僕の世界の中においては、戦争は始まってもいなければ、終わってもいないのだ。

深い深い山の奥の、だれも足を踏み入れない森の奥で、轟音とともに老木が頽《くずお》れたとしても、落雷が鳴り響いたとしても、聞くものとてないその音は存在しないも同然ではなかろうか。

今僕の胸の中には、深い深い森が広がっている。この半年の間、その森を歩いていたのだ。振り返っても足跡は残っていない。森の全容を知ることはできない。僕にとっては僕の歩いた場所が森のすべてであり、そこに足跡が残らない以上、僕は森にはいなかったのだ。今、静かにそう思うと、僕の中の深い森にそっと蓋をした。もう何ものも、そこからは生まれえないのであるから。

僕はまた、変わらぬ日常へと戻っていく。もちろん、戦争の影を見ることがなかったとはいえ、この半年間の「特殊な日々」は、僕を容易に以前と変わらぬ日常へとは復帰させないかもしれない。それでも僕は、「僕の意志」として、「変わらぬ日常」を生きようと思う。誰かの死によっても変われなかった自分のままで生きようと思う。こうした、変わらぬ日常のその先にこそ、戦争は、そして人の死は、静かにその姿を現すのだから。

僕はリュックから「闘争心育成樹」を出した。いや、それはもう「闘争心育成樹」ではなく、ただの針葉樹の苗木だった。その苗木を穿った穴に移し、土をかぶせた。植木鉢から移し替えられた苗木は、頼りなげに風にその身を揺らした。あまりに広い無辺の大地にとまどっているかのように。

「大きく、なれるかな」

上空から降りてくる光を見ながら思う。そこに祈りはない。僕は佐々木さんにも、香西さんの弟にも、あのおかっぱ頭の男にも、そして多くの戦死者たちにも、祈るべきコトバを持たない。形だけの祈りで、自分の中のなにものかを満足させたくはなかった。僕は、ここで祈りを持たなかったということを、自分に刻み付けて生きるだけなのだ。これからもずっと。それが僕にとっての「鎮魂」なのだと思う。

僕は立ち上がり、土で汚れた手を払うと、背後を振り返った。

「香西さん」

返事がないのがわかっていながら、その名前を呼んだ。返事はなかった、もちろん。だけど僕は、いまにも、あの幹の向こうから香西さんがゆっくりと姿をあらわしそうな気がしてならなかった。

「香西さん」

僕は、もう一度その名前を呼んだ。僕が植えた苗木だけが、光の中に立っていた。静かに、そして力強く。

◇

三月三十一日。正午。冬の終わりの澄んだ高空に、空砲が鳴り響いた。終戦の合図だ。土曜日の町は、晴れ渡った空の下、風の中に春のきざしを含ませて、静まっていた。僕は空を見上げた、役場の方角から聞こえてきた空砲の音。それは、僕がこの戦争ではじめて耳にした銃声だった。

小さなはぐれ雲が風に漂い、風の流れのままに拡散し、そして消えた。

香西さんも、今こうやって、どこかでこの空を見上げているのだろうか。

僕は雲が消えてもなお、そこに何かを見つけるかのように、晴れ渡った空を見上げ続けた。

別章

「最適化とはすなわち……」

西川チーフの声。それは聞きようによっては淡々としすぎていて、とても営業を生業とする者とは思えない時がある。

私は、プレゼンの進行に合わせてスクリーンに投影する画像を切り替えながら、時折チーフを盗み見る。穏やかな微笑を湛《たた》えて、会議室内の市役所の担当者たちを等分に見渡しながらも、その瞳には誰の姿も映っていないように思えた。

「皆様にとっての障害を可能な限り取り除いてゆく作業です。重要な点は、皆様がそれを障害であると感じないうちに、私たちがいかに対処しうるか、という点です」

チーフの視線が、人跡無き荒涼たる海原を見渡した、ような気がした。絶妙の間を置いて、言葉が続けられる。

「私たちは考えます。本当のサービスとは何なのかを。例えばレストランで、にこやかに客の背後に立って懇切丁寧に食材の説明をし、客の一挙手一投足をまるで監視するように見守るウエイターの接客。料理のおいしさよりもウエイターの慇懃《いんぎん》な笑顔の方が印象に残ってしまう……。そのようなサービスを受けた経験はございませんでしょうか？」

そう言ってチーフはやれやれ、というように肩をすくめる。ウエイターの表情が眼に浮かぶようで、私は噴き出しそうになってあわてて口を押さえた。

「一見それはまっとうで正しいサービスかもしれません。ですが、私たちは、こう考えます。サービスを受けたと感じないことこそが、お客様にとっての最大のサービスなのではないかと。垂見沢市様における本事業成功の鍵を握るのは、適切な時期に、適切な形で、皆様のお手を煩わすことなく、また、ご心労をおかけすることなく、我々が事業を進めていくことができるか、という点であると考えています。弊社に事業を任せていることを、皆様が『忘れてしまう』ことこそが、我々の最大の喜びとなるでしょう」

チーフのプレゼンの手法は、決して一般的なものではない。もちろん、押し付けることなくクライアントを話に引き込む技術や、効果的かつ的確にポイントを伝える話術は、基本を押さえたものだったが、それでもなお、チーフのプレゼンは「個性的」だった。

それはたとえるならば、ブランコが揺り戻される瞬間のような、心地良さと微かな悪寒とが共存する感覚、だろうか。

聞く者の心にあえて小さな疑問を生じさせ、なぜそれが疑問となるかを明確化し、絶妙のタイミングで解答を与える。

一度不安に落とし、安心させることでその安心の度合いを確実に深めるのだ。決して饒舌でもないし、雄弁でもない。だが、同じ説明を行うのでも、結果的に相手に与える信頼感はまったく異なってくる。

一匹狼的で、決して人付き合いのいい方ではないチーフが、社内外で確固とした信頼を築いているのも、無理からぬことだと思えてくる。

もっとも私は、そのプレゼンを聞いていると、幾層もの薄いベールに包まれ、次第に身動きできなくなるような感覚に陥って、息苦しさを感じてしまうのだが。

入社して半年が経ち、ようやく私もチームに属することになった。こうして地方に出張するのもはじめての経験だった。

とは言うものの、まだまだ仕事の基礎すら身に着いていない私は、荷物運びと雑用くらいしか役に立たなかった。プレゼンに入れば、そこはもちろんチーフの独壇場だった。

質疑応答も無難に終え、私たちの持ち時間は終了した。プレゼンは、三十分おきに四社が続けて行われる。市役所の「業者選定委員会」のメンバーに深くお辞儀をして、会議室を出る。

チーフは、固定されたような穏やかな営業顔を崩さぬままに、廊下に控える次の業者に会釈をして、歩き出した。

私は一歩遅れて歩きながら、その後姿を見つめて、小さくため息をつく。

一緒に働きだして半年も経つというのに、私は未だにチーフになじめずにいる。悪い人ではない。穏やかな物腰と落ち着いた声音。指導は的確で信頼が置けた。

それでもなお、彼に接する際には無意識のうちに一歩引いた形で見てしまう部分があった。

それはチーフが、まったく別の感情に支配されて仕事をしているように私には思えたからだ。

たとえるならば、歯車やクランクによって精巧に組み合わされたシステムの動きを見ているような感覚だった。ただし、その動きによって生み出されるものが何なのかはわからない。そんなシステムだ。

つまり、システムは学べるが、そのシステムを維持してゆくためのエネルギーである、「モチベーション」は学べないということだった。

◇

市役所を出ると、チーフは陰気な建物を振り返り、やれやれというように小さく息を吐いた。

「とりあえず、結果はどうあれ、ひと段落ですね」

「はい。お疲れ様でした」

私の言葉に、彼は微苦笑を浮かべて首を振った。

「お疲れ様、は、見事受注できた暁に言うことにしましょうか。それでは、私はここで失礼します」

私に気をつかわせまいとするかのようなそっけなさで、チーフは小さく手を上げると、背を向けて歩き出そうとした。

今夜は二人とも駅近くのビジネスホテルを取ってある。私はてっきり夕食も一緒に取るものと思っていた。あわててチーフの背に声をかける。

「あの。チーフ。ご夕食でしたら、私もご一緒してもよろしいでしょうか」

振り向いたチーフは、少し不思議そうな顔だったが、拒むことはなかった。

「どうぞ。私と一緒でよろしければ」

◇

事前営業で何度もこの町を訪れているチーフは、なじみの店も何軒かあるらしく、私が連れていかれたのは小さな洋食屋だった。

チーフのプレゼンそのままの、慇懃な笑顔を浮かべた初老のウエイターが出迎えてくれた。私は笑いをかみ殺すのに必死だったが、チーフはすました顔で案内された席に座る。

「鳴海《なるみ》さんが、私とご一緒してくれるとは思っていなかったので、驚きました」

開いたメニューごしに、笑みを含んだ眼が向けられる。どうやら、私のそこはかとない苦手意識は、しっかりと伝わってしまっていたようだ。少しバツが悪くなって、私はメニューに視線を落とした。

チーフのお勧めのビーフシチューを頼み、小さなテーブルを挟んで、なんとなくぎこちなく向き合う。会話のきっかけをつかめない私に水を向けるように、チーフから口を開いた。

「鳴海さんは四月から入社でしたね。そろそろ仕事の面白さもつかめてきた頃でしょうか」

「そうですね……、研修を終えたばかりですから、仕事といってもまだまだお手伝いばかりで」

その後は、いかにも上司と新人社員との会話のやり取りが続いた。私が入社する前の会社の話、社長の意外な趣味、取引先の裏話などなど……。

無難な会話に終わらせても良かった。だが、プレゼンを終えたという開放感が、私を少しだけ饒舌《じょうぜつ》にしていた。

「あの、チーフの、仕事をする上でのモチベーションって、いったい何なんでしょうか？」

チーフは、手にしたおしぼりを置き、首をかしげる。ウエイターが、私の前にグラスビールを、お酒を飲まないチーフの前に炭酸水を置いて去っていった。

「そういう尋ね方をする、ということは、鳴海さん自身が、仕事を続けていくためのモチベーションを必要としている状態にある、と解釈してもよろしいですか？」

炭酸水のグラスを手に、小さく乾杯のしぐさをするチーフ。私もあわててグラスを持つ。冷えたビールのきめの細かい泡が、心地よく喉を刺激する。

温和な瞳を向け、促すように見つめるチーフに勇気づけられ、私は口を開いた。

「私、こう見えても、学生時代には、社会問題に意識を持って生活を送ってきたつもりなんです。環境問題について、福祉や教育、国際紛争……」

首都圏の複数の大学を横断して組織されていたサークルに所属していた頃の経験を話す。

「今どきの学生さんらしからぬ活動ですね。立派なことです」

チーフの素直な賞賛に、私は首を振った。

「だけど、そんな風に考えてきたことって、実際に会社に入ったらゼロとは言わないけど、役に立つ場面ってほとんど無いんですよね。今日プレゼンした『いきいき町づくり整備計画策定業務委託』だって、環境と福祉に配慮した住みやすい町づくりって事業目的はすばらしいけど、自治体側の一番の導入理由は、国の補助金だし、業者選定も内容うんぬんよりも結局は価格が重視されちゃうじゃないですか。なんだか、私が考えてきたことって、実際の社会では、何の役にも立たないのかなあって無力感を感じてしまうんです」

「それは、もっと自分の経験を仕事に役立てたい、ということですか？」

「そうじゃないんです」

私は、自分でもはっきりとしない心のあり様をうまく説明できなくて、ため息まじりに首を振る。

「役に立たないことが嫌なんじゃなくって、最初から『学生時代と社会に出てからとは違うんだ』って切り離して考えていることに憤りを感じているんです。なんだか自分があまりにも簡単に、この社会の矛盾や理不尽を受け入れてしまうことに戸惑っているんです。私はこのまま、現実に流されて生きていくのかなって」

甘いことを言うなと一喝されるかと思ったが、チーフは、興味深い案件だと言わんばかりに身を乗り出した。

「そういう意識を持てるということは、これからあなたがこの業界で働いていく上で、非常に大切です」

先ほどのプレゼンの延長のように、チーフは話を切り出した。

「企業の社会問題への取り組みは、企業が利潤を追求する組織である以上、一定の限界があります。例えば、企業活動と環境の問題とは、相反する場合が多いですね。我々も含めて、企業は自社の存続と発展を前提としてしか、環境への取り組みなどできませんからね。コンビニエンスストアの環境への取り組みなど、その象徴的な例です。根本の、コンビニという業態自体が必要か、という議論には決して至らない。この小さな都市ですら十軒以上のコンビニエンスストアが二十四時間客を待ち続けている。そんな必要はどこにも無いというのに……。そして矛盾しているのは、消費者としての私たちも然りです。いつでもどこでも開いているという利便性は失いたくはないが、環境保護に貢献しているという充足感は持ちたい。生活習慣を根本から変える気もない我々消費者を少しだけいい気分にさせて、その実、成熟した市場に新たな『必要』を生じさせる『企業戦略』としての環境への取り組み。消費者と企業の思惑とが見事に合致し、そこに新しい市場が生まれる」

チーフはやれやれ、と肩をすくめ、炭酸水を一口含む。

「ですが、この複雑化した社会においては、問題の本質とは、多義的に解釈されるべきでもあります。開発や企業間の競争は、徒《いたずら》に環境に負荷を与える悪として見なされがちですが、反面、企業間の競争によって画期的な環境技術が生まれ、我々の意識も一進一退ながらも少しずつではありますが変わっていることを忘れてはなりません。それらは後ろ向きの『作らない・使わない』という考え方からは決して生じ得ないものですからね」

「そうなんですよね。学生の頃は環境問題っていっても単純に考えていればよかった。無駄をなくしたエコロジーライフ。省エネルギーとリサイクル。我々が質素で、必要なものしか使わない生活をすれば解決するって……。でも働き出した今ならわかります。本当に必要なものだけしか人々が購入しなくなれば、ほとんどの企業が立ち行かなくなるってことを。ない所に『必要』を無理矢理でも作り出していかなければ、この国の社会経済は維持できない。環境問題だけじゃなくって、どんな問題にも、こうすればすべて解決する、っていう絶対的な解答なんか無い。そう考えると、もう私にはいったい何が正しくて何が正しくないのかもはっきりしなくなってきました」

「この複雑化した社会においては、時として真実とは決して一つではない。いや、むしろその場合の方が多いですからね」

「この場合の真実はこれだ、って断言してくれる正義の味方が現れてくれたらなって思ってしまうんです」

「正義の味方……ですか」

ビーフカツレツを切り分けようとするフォークの手を止めて、チーフは否定的に首を振った。

「どうでしょうね。こと、正義というものに関しては、私の中には絶対的なものも、相対的なものも存在しないんですよ」

手にしたグラス越しに、チーフが私を見透かす。その瞳が、炭酸水の向こうでゆがんでいた。

「正義とは、その立ち位置によって変わりうるし、変わるべきものです。決して一つではない。社会のための正義。会社のための正義。家族のための正義。自分のための正義。正義の範囲が変われば考え方もまた変わります」

私は再び、チーフのプレゼンを聞いているときのような、薄いベールに幾重にも包まれて身動きできなくなる感覚に陥りそうになった。

「この社会には、矛盾も多く存在し、真実も一つではない。一つの側面からだけ物事を見ていると、いつか足元を掬《すく》われます。鳴海さんが悩んでいるということは、その社会の歪みを的確に捉えているからに他なりません。実はその能力というのは、この業界においては無くてはならないものです。あとは鳴海さんが、これから先この業界で実績を上げて行きたいと思うのであれば、社会の歪みに悩むのではなく、社会の歪みを前提として受け入れ、その上で自分の立ち位置というものをどう定めていくか、という点が重要だと思いますが」

　答えを見つけられぬまま、ビーフシチューのニンジンにフォークを突き刺した。あっけなく刺さったフォークがニンジンを貫通して皿底にあたり、軋んだ音を立てた。

　チーフは、私の中のわだかまりを慮《おもんぱか》るように言った。

「まあ、もっともその言い分は『会社にとっての正義』ですけれどね。これから鳴海さんは仕事を通じて様々なことを学んでいきますが、どうぞ今のその思いを、忘れないようにしておいてください。決して経験則としては身につかないものですから」

「はい……」

　私は頷《うなず》くしかなかった。チーフは、ふと思いついたように話を切り替えた。

「鳴海さんは、明日は首都には帰らないんでしたね」

「あ、はい。せっかくこっちまで来たんで、一足伸ばして学生時代の友人に会ってきます」

「お友達は、どちらに？」

「舞坂っていう、小さな町に住んでいます」

　チーフは、その町の名にわずかに反応したようだったが、言葉にはせず、炭酸水のグラスを傾けた。

「それでは、また月曜日に」

「智希《ともき》の住んでる町を見てみたかったな」

カウンターに並び座って、カクテルの細長いグラスを傾けて乾杯する。「終末の預言」という店名に倣って、料理には預言者の名を冠した長い名前がつけられていた。

「小さな町だからね。来ても見る場所なんかないよ」

私よりお酒に弱い智希は、早くも頬に赤みが増していた。昔と変わらないな、と思ってしまう。

◇

智希とは、彼の住む町にほど近い海辺の都市で落ち合った。居留地との交易地として開けた港町は、かつての繁栄の影をそこかしこに残し、石造りの重厚な建築物や煉瓦造りの倉庫群が、エキゾチックな趣きで私を迎えた。

久しぶりに逢うとはいっても、半年では面立ちが変わるはずもなく、学生時代とは違う眼鏡が、少しだけ印象を変えていたくらいだった。

西国のイントネーションをかすかに残した話し方。眼鏡の奥の幼さを残した瞳。すべてが懐かしく、半年の隔たりを瞬時に壊してくれた。

「就職活動は順調？」

「うん。まあ、ぼちぼち……かな」

その言葉は、順調ではないことを宣言しているように素直だったので、私は思わず笑ってしまった。彼は、少しむきになって真面目な声を出した。

「今僕は、自分の町で行われている、ある事業に関わっているんだ。町の未来を決めるための大事なイベントにね。どうしても今、僕がやらなきゃならないことなんだ。だから、それが終わるまでは就職活動はお預け、かな」

「相変わらず、いろんなことに頑張ってるんだね。まあ、就職は智希のやりたいことが見つかるまで、じっくり考えるといいよ」

自分でもおざなりな言葉だと思う。仮にもかつて恋人だった相手に向ける言葉とは思えない。私は、そんな自分の変わりように、寂しく笑う。おそらく智希は、この社会で生きていくには純粋で、不器用すぎるのだ。

私は、学生時代に友人に誘われて入ったサークルで、智希に出逢った。若さゆえの好奇心と正義感、そして若さによる裏づけの無い自信に満ちた彼の姿をずっと見ていたいと思っていた。それなのに、あんなに輝いて見えた智希の姿が、今は色褪せて感じた。

見た目が変わらない分だけ、言葉にはできない違和感があった。彼がフリーター、私が社会人になったということも関係していたのだろうか。

会社に入り、組織の一員として、個人の思惑など斟酌《しんしゃく》されぬ場で働く自分を思う。私にとって、夢や希望に輝いた「お祭り」の時期はもう終わったのだ。私は「現実」に生きる。

気を取り直してグラスを手にし、智希に笑顔を向けた。

「明日は、いろいろ案内してね」

◇

その夜は、海辺のホテルに二人で泊まった。

カーテンを開け放した窓から月明かりが差し込む。部屋は深い蒼に沈み、その輪郭《りんかく》をおぼろに浮かべていた。

私はベッドの上で裸のまま半身を起こし、窓の外、灯台の光が明滅する無音の海を眺めていた。

智希は私の横で静かに寝息を立てて眠っている。少し眉根を寄せて苦しげなのがおかしくて、彼の髪をそっと撫でる。

違いを感じたのは私だけではないだろう。

——変わったな。舞……

眼鏡の奥の彼の瞳がそう言っているのを見逃さなかった。

そう。私は変わったのだろう。私を取り巻く社会に順応するために。

学生時代から、常に夢を語り、夢の実現に向けて進んでいた智希。私はその姿に憧れると同時に、違和感を感じていた。夢を現実に、という言葉の「夢」とは、私にとっては「夢物語」の夢なのだ。最初から現実しか生きていない私は、一体何をめざせばいいのだ、と。

そんな智希の幼くも純粋な性格は、彼を愛した理由でもあり、別れた理由でもある。今の私たちは、友人以上恋人未満の中途半端な位置づけで互いを見ている。もちろん「中途半端」というのは、他人に説明する上では、ということで、自分たち自身はこの関係がしっくりしているからこそ、こうして別れて二年近くも関係が持続しているわけだけれども。

枕元に置かれた智希の眼鏡をかけ、裸のまま窓辺に立つ。

冬の星座が、凍てついた大気に固定されたかのように輝いていた。砂嘴《さし》で繋がった島によって外海と隔てられた入り江の静かな海に、月明かりが光の道をつくっていた。

眼のいい私にとっては、双眼鏡でものぞくように、海の風景はより一層鮮明となったが、やはり見慣れた世界とは違和感があった。

この眼鏡を通して智希が見る世界と、私が見ている世界とは、同じであっても、見えているものはまったく違うのかもしれない。

クィア座の一角を成す一等星が、海際にその身を表し、眼鏡ごしの世界で、瞬《またた》きもせず輝きを放っていた。

◇

「おはようございます。チーフ」

「おはようございます。鳴海さん。休暇は、いかがでしたか？」

「あ……、はあ、まあ、適当に」

私は言葉を濁す。智希との行き違いのことなどわかるはずもないが、なぜか私は口ごもってしまった。穏やかな虚無感を湛えたチーフの視線は、何もかも見透かしてしまうような気がしたからだ。

ホテルで翌朝起きたときには、すでに智希の姿はなく、「急用ができた、すまない」と走り書きのメモが残されていた。

おそらく、「今、やるべきこと」のために彼は奔走しているのだろう。私は小さくため息をついて、一人で街歩きをして、予定より早い飛行機で首都に戻ってきたのだ。

「さて、今週から、鳴海さんには森見町の案件に従事してもらいますよ」

業 務 委 託 契 約 書

●●町(以下「甲」という)と株式会社Ｓ・Ｌ・Ｉ●●支店(以下「乙」という) とは、成和●●年度●●町地域振興業務の委託について、次のとおり契約を締結する。

（目的）
第１条　甲は、隣接町との住民交流を促進し、郷土愛の育成をはかるべく実施される、成和●●年度●●町地域振興業務（以下「業務」という）を乙に委託し、乙はこれを受託する。

（委託期間）
第２条　業務の委託期間は、契約締結の翌日から、成和●●年３月３１日までとする。ただし、住民交流イベントの成果により委託期間の変更を必要とする事由が生じた場合は、甲乙協議の上、委託期間を変更することができる。

（委託業務の内容）
第３条　乙は、甲の指示により、別添仕様書に基づき以下の業務を行う。
　　１　隣接町との定期住民交流イベント実施業務（別表第１に掲げる業務）
　　２　隣接町との夜間住民交流イベント実施業務（別表第２に掲げる業務）
　　３　上記イベントに関わる要員管理業務（別表３に掲げる業務）
　　４　上記イベントに関わる備品、及び消耗品の発注、管理業務（別表４に掲げる業務）
　　５　イベント成果物の管理および廃棄に関わる業務（別表５に掲げる業務）

（委託料）
第４条　業務の委託料（以下「委託料」という）は、金●●，●●●，●●●円（うち国民福祉税の額●●●，●●●円）とする。
２　前項で規定した契約金額は、イベント進行状況の変化・イベント成果物の多寡・その他契約金額の変更を必要とする事由が生じた場合は、甲乙協議の上、契約金額を改定することができる。

（再委託、及び対抗業務受託の禁止）
第５条　乙は本業務の全部又は一部の処理をほかに委託し、又は請け負わせてはならない。ただし、あらかじめ、書面により甲の承諾を得たときはこの限りではない。
２　乙は本業務が終了するまでの期間、隣接町における地域振興業務その他本業務に対抗する業務を受託してはならない。ただし、あらかじめ、書面により甲の承諾を得たときはこの限りではない。

（秘密の保持）
第６条　乙は、この委託業務一切に関して知り得た事実を、書面による甲の承諾なしに第三者に開示又は漏洩してはならない。ただし、査察対応時および隣接町イベント優勢時に隣接町より開示要求があった場合はこの限りではない。

「あ、例の契約更改分ですね」

森見町から受注している地域振興事業の案件は、四月一日付で西部支社が事業運営全般を随意契約で受けていた。事業進行に伴い、十一月一日より契約が更改され、従来の業務と平行して新たな委託業務が発生していた。人数の少ない支社だけでは対応できなくなっていたため、物品発注業務だけを本社が肩代わりすることになっていたのだ。

「鳴海さんあてに西部支社からメールが届いているはずですよ。そうそう、私が頼んでいた文書も一緒に送ると言っていましたから、その分は私のフォルダに入れておいてください」

「はい。わかりました」

朝イチのメールチェックで、西部支社からのメールの内容を確認する。メールには、追加委託された「第五次町民交流強化計画」の夜間イベント用の発注物一覧と、チーフあての契約書と仕様書のひな形が添付されていた。

おそらく森見町の事業もこの契約書に沿って実施されたのだろう。契約書に記された抽象的な目的からは、一体どんな事業なのかは見当もつかなかった。もっとも、私に要求されているのは、必要な物品が期限までに支社に届くよう手配することであったから、事業の目的など気にする必要もなかった。

発注表の中身をざっと検分してみる。ほとんどは現在付き合いのある業者から納入できそうだった。私は午前中のうちにあらかたの発注を済ませ、疑義の残るものについて、午後になって西部支社に電話をかけた。

支社の担当者は偶然にも、新任研修時に本社で一緒に研修を受けて親しくなった同期の女性だったので好都合だった。

「この防水袋って、型番指定してあるけど、他社同等品でもＯＫかな？　指定品の半額で納入可能のものもあるみたいなんだけど」

「えっ？　ちょっと待って」

受話器の向こうで、書類をめくる音が聞こえる。西部支社は、私と智希とが一昨日落ち合った街にある。私は昨日一人で歩いた街の風景を思い出していた。

「ああ、あの袋ね。あれは指定条件が厳しかったの。まず防水の点では内部から外部へ水分滲出しないこと。それから最終的に焼却処分するので燃焼によっても有害物質が発生しないこと。それからサイズも指定されてるから同等品ってのは結構キツイんじゃないかな？」

「そうなんだ。じゃあ指定品で行くしかないかな。わかりました」

私たちは、仕事の話を終えてもしばらく、近況を伝え合った。

「そういえば鳴海さん。今、西川チーフの下なんだって？」

「ええ、まだ一回出張しただけだから、迷惑かけっぱなしなんだけど……。チーフのこと、知ってるの？」

「うん。だって、森見町の案件、落としたのは西川チーフだから」

◇

しばらく忙しい日々が続いた。

前回チーフとともにプレゼンした案件は、見事受注が決定したので、クライアント側とのキックオフミーティングの準備や再委託先との調整が、私の仕事となった。

家に帰るのは夜の十時過ぎという毎日では、帰っても寝るだけだったが、仕事に没頭する日々は、他の事を何も考えずに済むので、私には性に合っているようだった。

あれ以来、智希からは連絡がなかった。

あの日約束をすっぽかしていなくなってしまったことに、謝りの一つも言ってよこすかと思い、私からは連絡していなかった。何となく、こちらから電話するのは癪だったのだ。

メールを送ってみたが、律儀に返信してくる智希には珍しく、何の反応もなかった。

残業の合間に、休憩室から電話をかけてみるが、やはり彼は出ようとしなかった。

少し不安になった私は、智希の実家に電話をかけてみる。携帯電話のアドレス帳に登録してはいたが、実家にかけるのは初めてのことだった。

呼び出し音もなくいきなり聞こえたのは、女性の声だった。

「ただ今・この区域は・回線が・遮断・されております」

つぎはぎされた声が繰り返される。

――回線が遮断って……

初めて聞くアナウンスに、不安が沸きあがる。私は、気を落ち着かせようとデスクに戻り、一日の仕事で多少乱雑になってきていた机の上を整理する。

森見町地域振興事業の資料はもう廃棄してよかったので、私はシュレッダー処理分とリサイクルとに振り分けるべく中身を確認する。

最後の一枚に、森見町役場の電話番号が載っていた。見るともなく見ていた私はあることに気づき、携帯電話の発信履歴を見る。

森見町と、智希の実家のある町とは、市外局番が同じだった。

私は思わずフロアを見渡す。この時間残っているのはチーフと私だけだった。

「チーフ。森見町の『地域振興事業』って、いったい何なんですか？」

プレゼンを行ったチーフなら、その内容を知っていると思った。

パソコンに向かっていたチーフが顔を上げる。経費節減のため室内は照明が落とされ、液晶画面の光が、チーフの顔を青白く照らしていた。まるで屍のようだった。

「森見町は、となり町と戦争をやっています。戦争による地域振興というわけですね」

何事も無いような、いつもどおりの穏やかな声だった。

「戦争？　となり町って……」

「確か、舞坂町、でしたね」

舞坂町。智希の住む町の名だった。

「戦争で地域振興って、意味がわかりません。となりの町同士で殺し合いをして、何が地域振興なんですか？」

「先日、お話ししましたよね。この複雑化した社会では、物事はすべて多義的に解釈されるべきであると。戦争とは破壊的な行為ですが、有史以来、我々の文明が戦争によって大きく進歩を遂げてきたこともまた周知の事実です。自治体レベルの戦争でも然り。戦争とは一面から見れば非生産的で住民にとって益する所など何も無いと感じるかもしれませんが、別の一面から見れば、市町村合併による行財政効率化の促進、地場中小企業の振興、住民の帰属意識の強化など、効果は様々です。あるシンクタンクの調査によれば、長いスパンで見れば、戦争事業の投資効果は2・5倍とか」

まるで他人事のように淡々とした口ぶりだった。私はチーフのプレゼンを聞かされているような気分になり、あわてて首を振った。

「そんなの勝手な言い分です。戦争で自分の家族を失った人にも、チーフはそんなこと言えるんですか」

つい詰問調になってしまったが、チーフは動じる風もなく、むしろ興味深そうに私の昂ぶりを観察していた。

「同じことなんですよ」

「同じって……何がですか？」

チーフの意図するところがわからず、私は戸惑いながらも問い返す。

「この国に生きる以上、戦争に関わっていようがいまいが、好むと好まざるとに拘《かかわ》らず、私は誰かを間接的に殺しているのです。どうせ『同じ』ならば、いっそ私は、自分が戦争に『関わっている』、つまり、誰かを『殺している』ことを自覚し続けていきたいと思っています」

「そんな……。そんなの都合のいい言い訳にしか聞こえません。戦争を止めることはできないにしても、せめて関わらないでいることはできるじゃないですか。チーフのおっしゃることは、開き直りにしか思えません」

「それでは、あなたの手は汚れていないのですか？」

ゆっくりとチーフが立ち上がる。

「この会社が戦争に関わっていると知って、あなたが今すぐこの会社を辞めるというのならば、その言葉を認めましょう。ですが、あなたは今の職を捨てられますか？　仮にできたとしても、戦争とまったく関係のない企業に再就職するつもりですか？　そんな企業があると思っているのですか？　たとえその企業が戦争に直接関わっていないとしても、戦争によって直接、間接に生じた利潤は、この国の経済の隅々まで還流しているんですよ」

チーフの瞳は、静かに定まった色を湛えていた。

「あなたは、わからないふりをして、現実を見ないようにしているだけではないですか？　めぐり巡って、あなたは誰かの死に手を貸しているのかもしれませんよ。要は、それを自覚しているか、していないかの差だけです」

私が、生きていく上でうやむやにしてきたことすべてを見透かすかのような瞳だった。どんな反論をしても重みを伴わぬようで、私は口をつぐんだ。

その時、ポケットの携帯電話が振動する。

智希からの連絡かと思い、私はその場を離れ、廊下に出た。

携帯電話の画面を見ると、登録していない番号からだった。一瞬出るのをためらって画面を見つめるが、ややあって気づく。その市外局番が、智希の実家と同じだということに。

「智希……？」

私は恐る恐る、その名前を口にする。

電話の向こうは沈黙していた。私は照明を落とした廊下の暗闇の中で、受話器を持つ「誰か」の言葉を待ち続けた。

聞こえてきたのは、物静かで、理知的な女性の声だった。

「智希の姉の、香西瑞希と申します」

◇

智希のお葬式は、彼の死を告げられてから三ヶ月も経った、冬の終わりも間近い頃に、告別式という形で行われた。

私は、智希の住んでいる……、いや、住んでいた町へと向かった。あの、最後に逢った日の言葉が、こんな形で実現するとは思ってもいなかった。彼が慣れ親しんだであろう風景の中を歩き、葬儀場へ向かう。

本来ならば、訃報を聞いてすぐにでも駆けつけたかったが、それはお姉さんによって妨げられた。

「今こちらにおいでいただいても、葬儀などをすぐに執り行う予定はございませんし、親族も対応することができません。それにあの子の遺体があるというわけでもありませんので、新たにお知らせするまで、どうぞお待ちください」

そうして三ヶ月後、この告別式の通知が届いた。

親族は、お姉さんとお母さんだけで、後は彼の同級生らしい友人たちが集まっていた。葬儀場の一番小さな部屋なのに人はまばらで、大気の寒々しさを一層つのらせるようだった。

お姉さんは、智希と面立ちが似ていて、一目でわかった。喪服を着た彼女は、声のままの几帳面さと、女性らしい儚《はかな》さとをアンバランスに同居させた表情で私にお辞儀をした。

「遠くから、ありがとうございます。弟も喜んでいると思います」

「いえ。智希君とは長い付き合いでしたから……。あの、彼は、戦って亡くなったのですか？」

「はい。弟は、町を守りたい、という強い思いから、志願兵として戦っていました。私が止めるのも聞かずに……。弟が戦闘に初参加した夜、森見町は大規模な夜間襲撃を実施し、その戦闘によって智希は命を落としました。遺体が残っていないので、死因はわかりませんが」

「先日のお電話でも、遺体が無いとおっしゃいましたが、何か理由があるのですか？」

お姉さんは躊躇《ちゅうちょ》するようだったが、私の顔から問う表情が消えぬのを見て、視線を落として言った。

「弟の遺体は、となり町のクリーンセンターで焼却処分されました」

「クリーンセンターって……」

「……ごみ焼却場です」

予想だにしない言葉に、私は二の句が継げなかった。

「となり町……、森見町では戦時死体処理の迅速化のために戦闘前日に規則を改正していました。弟は、その規則によって簡易的に焼却処分された第一号となりました」

感情の起伏を無理矢理に抑え込んだ、淡々とした声だった。

「一枚だけ、弟が戦死した際の写真が残っています。ご覧になりますか？」

お姉さんは、祭壇に供えられた白い封筒を手にする。

「この写真は、弟の友人が偶然撮影したものです。もっとも、彼自身もその夜の戦闘で命を落としていますから、彼の遺留品のカメラから発見されたものですが」

「では、そのお友達も、戦闘に参加していたんですか」

「いえ。彼は、弟とはまた違った形で、戦争に参加していました。戦争による死体の写真を撮って楽しむ『倒撮』という形で。皮肉にも、彼が興味本位で撮った写真が、弟の最後の姿となってしまいました」

差し出された写真を、受け取りつつも躊躇する。写真を見ることで、智希の死という厳然たる事実に直面するのを避ける気持ちからだった。

それは、かつての恋人の無残な姿を見たくないという自然な感情でもあったし、できればそんな現場からは眼をそむけていたいという一種のエゴを含んでいることも自覚していた。

伏し目がちに一瞥《いちべつ》して、智希の遺体が直接写っているというわけではないことがわかって少し安心し、同時にその「安心」に罪悪感を覚えながら、一つ深呼吸して写真を見つめた。

写された場所は、雑草の生えた荒地のようだった。フラッシュの光の中、袋に包まれた、人型の「モノ」が、無造作に地面に並べられていた。

私は写真を手にしたまま、時を失ったかのように動くことができずにいた。智希の遺体を包む水色の袋。それは、私が森見町の地域振興事業のために発注した防水袋だったからだ。

――めぐり巡って、あなたは誰かの死に手を貸しているのかもしれませんよ。要は、それを自覚しているか、していないかの差だけです――

チーフの声が、私の中にまざまざとよみがえり、反響した。

「私は、町役場の、戦争を推進する部署で働いています。ですから、弟は私が死なせたようなものですね」

自嘲が滲む静かな声で、お姉さんは目を伏せた。

私は告げることができなかった。智希が戦死した森見町の夜間襲撃とは、私が仕事で関わった森見町の「第五次町民交流強化計画」の「夜間イベント」だということを、そして彼の死体を包む袋は、私が発注したものだということを。

「鳴海さん。これをお持ちください」

お姉さんが差し出したものは、智希が学生時代に使っていた眼鏡だった。懐しいフレームの形が、私の胸をえぐるようだった。

「形見分けとして、お納めください」

「え、でも、そんなものをいただくわけには」

返そうとする私の手を、お姉さんは押し止めるように握り、智希の面影に重なる静かな微笑みを浮かべた。

「いえ、智希も、それを望んでいると思いますから」

バスのアナウンスが、「次は、森見町役場前」と告げた。

私は反射的に降車ブザーを押していた。智希は森見町で命を落としたのだ。わからぬまでも、彼の「最期の地」を見ておきたいと思った。

正式な「終戦」は三月末だとお姉さんは言っていたが、すでに戦闘は終了しているためか、舞坂町と同様、森見町にも戦争の影は感じられなかった。わずかに役場前に、「さあ終戦だ！　新たな町づくりを！」と描かれたスローガンが掲げられ、風に揺れていた。

◇

私は、智希がこの世界から失われたのだという事実を、自分自身に納得させるだけの「何か」を見つけるべく、目的もなく町の中を歩き続けた。

地方の町ならではの、寂れたアーケードがある商店街。平日の午前中の通りは閑散としていて、音の割れたインストゥルメントゥルの曲が、誰に聞かせるでもなくけだるく響いていた。

歩くうちに、半分近いお店がシャッターを閉じていることに気づく。軽快な音楽が閉ざされたシャッターに反響し、一層物寂しかった。

地方の商店街の「シャッター通り」と言われる寂れた状況を耳にしてはいたが、長く首都に住む私は、実際こうして目の当たりにするのは初めてのことだった。

この町の戦争事業は、「地域振興」の名の下に行われたのだ。何百人もの命を失って遂行された戦争という「事業」は、いったいどれだけの「振興」をこの町にもたらしたのであろうか。

――智希。あなたは、一体何のために戦ったの？

彼の死を聞いてからずっと、その問いは心の中に渦巻いていた。

一つのお店が、店を畳もうとしていた。販売用の什器が運び出され、軽トラックに積み込まれるところだった。入り口脇には、燃えるゴミに出すのだろう、段ボールにさまざまなものが入れられていた。はみ出すように箱から垂れ下がるすっかり色あせたのぼりには、「戦争フェア」の文字が見えた。

わずかな繁華街を離れ、目的もなく歩くうち、町外れを流れる川にたどり着いた。堤防から見下ろす河原には、冬枯れた雑草や葉を落とした木々がひろがり、無人の荒野に穏やかな陽光が射しているような、奇妙に静かな光景だった。

それは、智希や他の戦死者の死体がまるで物のように雑然と積み置かれたあの写真の光景を私に思い起こさせた。時折吹く風に、周囲の枯れ草が乾いた音で一斉になびく。

「いやあ、いい天気ですなあ」

突然の声に、私は驚いて振り返る。

気配を感じさせずにいつのまにか隣に立っていたのは、私より背が低い、すすけたような作業着を着た中年男性だった。

「穏やかな景色です。とてもここで戦ったとは思えませんねえ。はい」

思ってもいない言葉に、私は彼をまじまじと見つめてしまう。

「もしかして、となり町との戦争で、戦われた方ですか?」

男性は、「ほ?」と大きな眼をクリクリと動かしながらおもしろそうに私を見上げ、肯定も否定もしなかった。

目の前の人の良さそうな男性が、戦争に参加し、人を殺したとは思えなかった。だが私は、自分の思い違いに気づく。どこにでもいる「誰か」が、殺人者にも、死者にもなりうるのが「戦争」なのだ。

私は唐突に一つの光景を思い出した。エメラルドグリーンの海が目の前に広がる。

あれはまだ大学二年生、私と智希が恋人同士だった頃だ。二人で夏の間バイトをしてお金を貯め、少し遅れたバカンスを気取って訪れた南の島の海だった。

初めてのダイビングに興じた私たちは、リゾートホテルのプライベートビーチを歩いていた。ほてった肌を夕方の風が優しく撫でる。私たちは腕を組んで、貝殻を探しながら砂浜を歩いていた。

水平線から次第に紅く染まりだした海を見はるかすように眼鏡の奥で眼を細め、智希は足を止めた。

「あの戦争の時は、この浜でもたくさんの人が亡くなったんだろうね」

智希の言葉に、私は初めて思い至った。そこが、あの戦争の際の激戦地だったことを。

記憶の中にあるモノクロの陰惨な写真と、目の前の白い珊瑚礁の浜とは、うまく結びつかなかった。

素直にそう告げると、智希は穏やかな表情ながら真剣な瞳で私を見つめた。

「戦争と日常とを切り離して考えてしまうのは、とても危険なことだと僕は思う。今の自分のこの一歩が、果たしてどちらに向かっているのかを自覚しないまま生きることになるからね」

エメラルドグリーンの海は、「戦争」という言葉とはあまりにもかけ離れた光に包まれ、途絶えることなく波音が響いていた。そのおろかな戦いの最中も、波は我関せずとでもいうように寄せては返すを繰り返していたのだろう。人の歴史など斟酌することもなく。

あの日私は智希と腕を組んで、いったいどれだけ彼の言葉を実感として受け止めていただろうか。

「いったい、何のために戦ったんでしょうか」

私は思わず口にする。それは智希に対するものでもあったし、隣に立つ男性に向けたものでもあった。

「戦ってでも守りたいと思うもののため、でしょうなあ。それが何なのかは、人によって様々でしょうが。もっとも、いざ敵と向き合ったら、目的はみな同じなんですなあ。相手を殺す、そして自分が生き残る」

「あなたにとっては？」

男性は、再び「ほ？」と眼を見開き、「そうですなあ」といってしばらく考え込んだ。

「私にとっては、同じなんですよ」

「同じって……？」

「ここに立ってお嬢さんと話してる私も、あの夜、立ち向かってきた青年に手をかけた私も、何も変わらない。同じなんですなあ。昔はそうじゃなかった。大切に取っておきたいものを思い出すためにやっていたつもりなんですが、一体どこに置き忘れてきたんでしょうなあ」

そう言って男性は胸に手を当てた。

私は彼に、チーフと同じものを感じた気がした。背格好も顔立ちも、まったく異なっているというのに。

「主任、そろそろ行きますよぉ」

堤防道路に停められた商用車から、若い男性が彼を呼ぶ。主任と呼ばれる男性は、「今いきますよお」と手を上げ、名残惜しげに河原を見やった。

「この風景も見納めですなあ……」

独り言のようにそうつぶやくと、「では、お嬢さん。失礼しますよ」と言って、堤防を上っていった。体型からは想像できない敏捷な身のこなしで。

遠く丘の上に、煙突のある建物が見える。あるかなきかの透明な煙が煙突から立ち昇り、わずかな風にたなびいていた。もしかすると、智希の死体が焼かれたというクリーンセンターなのかもしれなかった。

私はその煙に、明日も続く「日常」という不定形で得体の知れないもののはかなさを見た気がした。

バッグから、形見分けでもらった智希の眼鏡を取り出す。

かけてみると、目の前には鮮明な世界が広がった。鮮明すぎてかえって違和感のある異世界だった。私は軽いめまいを感じ、眼鏡をはずして頭を振った。

私がこの町に「戦争」を感じることができないように、この穏やかな日常の風景は、人それぞれ見え方はまったく異なっているのかもしれない。私と智希が、四年間一緒にいながら見える世界がまったく違ってしまったように。

私は「現実」に生きているつもりで、まったく現実など見えていなかった。だが、かといって智希が本当の「現実」を生きていたとも思えない。

自分にとっての「現実」を守るために戦った智希。戦争と関わることを逃れ得ないという自覚ゆえ、あえて戦争に関わり続けるチーフ。そして、あの主任と呼ばれる男性もまた、戦争を日常として生きる者なのだろう。

戦争は、日常と切り離された対極にあるのではなく、日常の延長線上にあるのだ。

私は、目の前に広がる、何事もなく静まっている光景を瞳に焼き付け、歩き始めた。

今のこの一歩が、この現実を、そして私自身を、いったいどこへ導こうとしているのかもわからぬままに。

本作品は二〇〇五年一月、集英社より刊行されました。
第十七回小説すばる新人賞受賞作

文庫化にあたり、書き下ろし作品「別章」を加えました。

三崎亜記の本

失われた町

30年に一度、ひとつの町の住民が忽然と消えてしまう「消滅」。大切な人や帰るべき場所を失った人々の思いは？「消滅」との闘いの行方は？時を超えた人と人のつながりを描く長編。

集英社文庫

集英社文庫　目録（日本文学）

三木卓　野鹿のわたる吊橋
三木卓　裸足と貝殻
三木卓　柴笛と地図
三崎亜記　となり町戦争
三崎亜記　バスジャック
三崎亜記　失われた町
三崎亜記　鼓笛隊の襲来
水上勉　故郷
水森サトリ　でかい月だな
美空ひばり　川の流れのように
三田誠広　いちご同盟
三田誠広　春のソナタ
三田誠広　父親学入門
三田誠広　ワセダ大学小説教室 天気の好い日は小説を書こう
三田誠広　ワセダ大学小説教室 深くておいしい小説の書き方
三田誠広　ワセダ大学小説教室 書く前に読もう超明解文学史
三田誠広　星の王子さまの恋愛論
三田誠広　永遠の放課後
光野桃　ソウルコレクション
皆川博子　薔薇忌
皆川博子　骨笛
皆川博子　ゆめこ縮緬
皆川博子　花闇
皆川博子　総統の子ら(上)(中)(下)
南川泰三　浪速の女ハスラー 玉撞き屋の千代さん
宮内勝典　ぼくは始祖鳥になりたい
宮尾登美子　岩伍覚え書
宮尾登美子　影絵
宮尾登美子　朱夏(上)(下)
宮尾登美子　天涯の花
宮木あや子　雨の塔
宮城谷昌光　青雲はるかに(上)(下)
宮子あずさ　看護婦だからできること
宮子あずさ　看護婦だからできることII
宮子あずさ　老親《ろうしん》の看《み》かた、私の老い方
宮子あずさ　ナースな言葉 こっそり教える看護の極意
宮子あずさ　ナース主義！
宮子あずさ　卵の腕まくり 看護婦だからできることIII
宮里洸　人斬り弥介秘録 幽鬼
宮里洸　人斬り弥介秘録 鬼神
宮里洸　人斬り弥介秘録 沈む町
宮里洸　人斬り弥介秘録 茜雪《あかねゆき》
宮里洸　決定版・真田十勇士 霧隠才蔵
宮沢賢治　銀河鉄道の夜
宮沢賢治　注文の多い料理店
宮嶋康彦　さくら路《みち》
宮田珠己　ジェットコースターにもほどがある
宮部みゆき　地下街の雨

集英社文庫　目録（日本文学）

宮部みゆき　R.P.G.
宮本輝　焚火の終わり(上)(下)
宮本昌孝　藩校早春賦
宮本昌孝　夏雲あがれ(上)(下)
宮本昌孝　みならい忍法帖　入門篇
宮本昌孝　みならい忍法帖　応用篇
宮脇俊三　鉄道旅行のたのしみ
三好徹　貴族の娘
三好徹　興亡三国志(全5巻)
三好徹　妖婦の伝説
武者小路実篤　友情・初恋
村上龍　だいじょうぶマイ・フレンド
村上龍　テニスボーイの憂鬱(上)(下)
村上龍　ニューヨーク・シティ・マラソン
村上龍　69 sixty nine
村上龍　村上龍料理小説集

村上龍　ラッフルズホテル
村上龍　すべての男は消耗品である
村上龍　コックサッカーブルース
村上龍　龍言飛語
村上龍　エクスタシー
村上龍　昭和歌謡大全集
村上龍　KYOKO
村上龍　はじめての夜　二度目の夜　最後の夜
村上龍　メランコリア
村上龍・中田英寿　文体とパスの精度
村上龍　タナトス
村上龍　2days 4girls
村松友視　雷蔵好み
村山由佳　天使の卵　エンジェルス・エッグ
村山由佳　BAD KIDS
村山由佳　もう一度デジャ・ヴ

村山由佳　野生の風
村山由佳　きみのためにできること
村山由佳　キスまでの距離　おいしいコーヒーのいれ方Ⅰ
村山由佳　青のフェルマータ
村山由佳　僕らの夏　おいしいコーヒーのいれ方Ⅱ
村山由佳　彼女の朝　おいしいコーヒーのいれ方Ⅲ
村山由佳　翼　cry for the moon
村山由佳　雪の降る音　おいしいコーヒーのいれ方Ⅳ
村山由佳　緑の午後　おいしいコーヒーのいれ方Ⅴ
村山由佳　海を抱く　BAD KIDS
村山由佳　遠い背中　おいしいコーヒーのいれ方Ⅵ
村山由佳　夜明けまで1《ワン》マイル　somebody loves you
村山由佳　坂の途中　おいしいコーヒーのいれ方Ⅶ
村山由佳　優しい秘密　おいしいコーヒーのいれ方Ⅷ
村山由佳　聞きたい言葉　おいしいコーヒーのいれ方Ⅸ
村山由佳　天使の梯子

村山由佳　夢のあとさき　おいしいコーヒーのいれ方X
村山由佳　ヘヴンリー・ブルー
村山由佳　蜜蜂色の瞳　おいしいコーヒーのいれ方 Second Season I
村山由佳　明日の約束　おいしいコーヒーのいれ方 Second Season II
村山由佳　約束　―村山由佳の絵のない絵本―
村山由佳　消せない告白　おいしいコーヒーのいれ方 Second Season III
村山由佳　凍える月　おいしいコーヒーのいれ方 Second Season IV
村山由佳　雲の果て　おいしいコーヒーのいれ方 Second Season V
村山由佳　彼方の声　おいしいコーヒーのいれ方 Second Season VI
群ようこ　トラちゃん
群ようこ　姉の結婚
群ようこ　でも女
群ようこ　トラブルクッキング
群ようこ　働く女
群ようこ　きもの365日
群ようこ　小美代姐《こみよねえ》さん花乱万丈《からんばんじょう》

群ようこ　ひとりの女
群ようこ　小美代姐さん愛縁奇縁
室井佑月　血《あか》い花《はな》
室井佑月　作家の花道
室井佑月　ああ〜ん、あんあん
室井佑月　ドラゴンフライ
室井佑月　ラブゴーゴー
室井佑月　ラブファイアー
タカコ・H・メロジー　やっぱりイタリア
タカコ・H・メロジー　イタリア　幸福の食卓12か月
タカコ・H・メロジー　マンマとパパとバンビーノ　イタリア式 愛の子育て
望月諒子　神の手
本岡　類　住宅展示場の魔女
本宮ひろ志　天然まんが家
森　詠　オサムの朝《あした》
森　詠　那珂川《なかがわ》青春記

森　詠　日に新たなり　続・那珂川青春記
森　詠　少年記　オサム14歳
森　絵都　永遠の出口
森　絵都　ショート・トリップ
森　絵都　屋久島ジュウソウ
森　鷗外　舞姫
森　鷗外　高瀬舟
森　博嗣　墜ちていく僕たち
森　博嗣　工作少年の日々
森　博嗣　ゾラ・一撃・さようなら　Zola with a Blow and Goodbye
森まゆみ　とびはねて町を行く　「谷根千」10人の子育て
森まゆみ　寺暮らし
森まゆみ　その日暮らし
森まゆみ　旅暮らし
森まゆみ　貧楽暮らし
森まゆみ　女三人のシベリア鉄道

集英社文庫

となり町戦争《まちせんそう》

2006年12月20日　第1刷　　定価はカバーに表示してあります。
2012年6月6日　第15刷

著　者　三崎亜記《みさきあき》
発行者　加藤　潤
発行所　株式会社　集英社
東京都千代田区一ツ橋2-5-10　〒101-8050
電話　03-3230-6095（編集）
03-3230-6393（販売）
03-3230-6080（読者係）

印　刷　凸版印刷株式会社
製　本　凸版印刷株式会社

フォーマットデザイン　アリヤマデザインストア　　マークデザイン　居山浩二

ISBN978-4-08-746105-3 C0193